D1482358

HISTOIRE
DE LA VIOLENCE

Pierre Bourdieu : l'insoumission en héritage
(sous la direction d'Édouard Louis)
PUF, 2013 et 2016

En finir avec Eddy Bellegueule
Seuil, 2014
et « Points », n° P4092

Qui a tué mon père
Seuil, 2018
et « Points », n° P5046

Édouard Louis

HISTOIRE
DE LA VIOLENCE

ROMAN

Éditions du Seuil

© Éditions Gallimard pour la citation de William Faulkner,
Sanctuaire, traduit de l'anglais (États-Unis)
par Henri Delgove et René-Noël Raimbault, p. 88

© Actes Sud, 1995, pour la citation d'Imre Kertész,
Kaddish pour l'enfant qui ne naîtra pas, traduit du hongrois
par Charles Zaremba-Huzsvai, p. 111

TEXTE INTÉGRAL

ISBN 978-2-7578-8173-6
(ISBN 978-2-02-111778-7, 1ʳᵉ publication)

© Éditions du Seuil, 2016

Pour Geoffroy de Lagasnerie

Un

Et donc, quelques heures après ce que la copie de la plainte que je garde pliée en quatre dans un tiroir appelle la *tentative d'homicide*, je suis sorti de chez moi et j'ai descendu l'escalier.

J'ai traversé la rue sous la pluie pour aller laver mes draps à quatre-vingt-dix degrés à la laverie, en bas, à moins d'une cinquantaine de mètres de la porte de mon immeuble, le dos courbé par un sac de linge trop encombrant, trop lourd, les jambes qui fléchissaient sous son poids.

Il ne faisait pas encore complètement jour. La rue était vide. J'étais seul et je marchais, mes pieds butaient, je n'avais que quelques pas à faire et pourtant la hâte me faisait compter : *Plus qu'une cinquantaine de pas, allez, plus qu'une vingtaine de pas et tu y seras.* J'accélérais. Je pensais aussi – impatient du futur qui en quelque sorte renverrait, assignerait, réduirait cette scène au passé : *Dans une semaine tu te diras : Ça fait déjà une semaine que c'est arrivé, allez, et dans un an tu te diras : Ça fait déjà un an que c'est arrivé.* La pluie glacée, non pas battante mais extrêmement fine, minuscule,

9

désagréable, infiltrait la toile de mes chaussures, l'eau se propageait dans les semelles et dans le tissu des chaussettes. J'avais froid – et je pensais : *Il pourrait revenir, il va revenir, maintenant je suis condamné à errer, il t'a condamné à errer.* À la laverie il y avait le gérant de l'établissement, petit, trapu. Son buste dépassait des rangées de machines. Il m'a demandé si j'allais bien, j'ai répondu *Non*, aussi durement que j'en étais capable. J'ai attendu sa réaction. Je voulais qu'il réagisse. Il n'a pas cherché à en savoir plus, il a haussé les épaules, il a tourné la tête, il est entré dans son étroit bureau dissimulé derrière les sèche-linge et je l'ai détesté de ne pas me poser de questions.

Je suis remonté chez moi avec les draps propres. Je suais dans l'escalier. J'ai refait le lit, il semblait toujours imprégné de l'odeur de Reda, alors j'ai allumé des bougies, brûlé de l'encens ; ça ne suffisait pas ; j'ai pris du désodorisant, du déodorant, les eaux de toilette, aussi, que j'avais reçues à l'occasion de mon précédent anniversaire, les eaux de Cologne, et j'en ai aspergé les draps, j'ai savonné les taies d'oreillers que pourtant je venais de laver, le tissu recrachait l'eau savonneuse sous forme de petites bulles superposées, agrégées. J'ai savonné les chaises de bois, passé une éponge imbibée sur les livres qu'il avait manipulés, frotté les poignées de portes à l'aide de lingettes antiseptiques, dépoussiéré minutieusement et une à une les lames en bois des persiennes, déplacé et interchangé les piles de livres posées à même le sol, lustré la structure métallique du lit, pulvérisé un produit citronné sur la surface lisse et blanche du réfrigérateur ; je ne parvenais pas à m'arrêter, mû par une énergie proche de la folie. J'ai pensé : *Mieux vaut être fou que mort.* J'ai récuré la douche qu'il avait utilisée, vidé plusieurs litres d'eau de Javel dans les toilettes et dans la vasque du lavabo (du moins un peu plus de deux litres, c'est-à-dire une bouteille d'un litre et demi encore pleine et une autre, à moitié vide), récuré l'ensemble de la salle de bains, c'était absurde, allant jusqu'à nettoyer le miroir dans lequel il s'était regardé ou plutôt admiré ce soir-là, jeté aux ordures les vêtements qu'il avait touchés, les laver n'aurait pas suffi ; je ne sais pas pourquoi cela suffisait pour les draps et pas pour les vêtements. J'ai frotté le sol, à quatre pattes, l'eau fumante me brûlait les doigts, la serpillière arrachait par lambeaux minces et rectangulaires ma peau ramollie. Les morceaux de peau s'enroulaient sur eux-mêmes. Je m'interrompais, je prenais de profondes inspirations, je reniflais, en vérité, comme une bête, j'étais devenu une bête, à la recherche de cette odeur qui semblait ne jamais disparaître en dépit de mes efforts, son odeur ne partait pas et j'en ai conclu qu'elle était sur moi, pas sur les draps ou sur les meubles. Le problème venait de moi. Je suis entré dans la douche, je me suis lavé une fois, puis deux, puis trois et ainsi de suite. J'utilisais du savon, du shampooing, de l'après-shampooing sur mon corps pour le parfumer le plus possible, c'était comme si son odeur s'était incrustée en moi, dans moi, entre la chair et l'épiderme, et je grattais toutes les parties de mon corps du bout des ongles, je les ponçais, avec force, acharnement, pour atteindre les couches internes de ma peau, les débarrasser de son odeur, je jurais, *Putain de merde*, et l'odeur persistait, elle me donnait toujours plus de nausées, de vertiges. J'en ai déduit : *C'est à l'intérieur du nez qu'est l'odeur. C'est l'intérieur de ton nez que tu sens. L'odeur est bloquée dans mon nez.* Je suis sorti de la salle de bains, j'y suis retourné et j'ai versé du sérum physiologique dans mes narines ; j'ai soufflé de l'air par le nez, comme lorsqu'on se mouche, afin, c'est l'effet que je voulais produire, que le sérum atteigne toute la surface de l'intérieur de mes narines ; ça ne servait à rien ; j'ai ouvert les fenêtres et je suis sorti pour rejoindre Henri, le seul ami réveillé ce matin du 25 décembre à neuf ou dix heures.

C'est ma sœur qui décrit la scène à son mari. Je suis caché derrière une porte, je l'écoute. J'entends sa voix que je reconnais même après des années d'absence, sa voix toujours mêlée de fureur, de ressentiment, d'ironie aussi, de résignation.

Je suis arrivé chez elle il y a quatre jours. J'avais imaginé naïvement qu'un séjour à la campagne était le seul moyen de me remettre de la fatigue et de la lassitude de mon mode de vie, mais à peine le pied posé dans cette maison, le sac de voyage jeté sur le matelas, à peine la fenêtre de la chambre qui donne sur les bosquets et sur l'usine du village d'à côté ouverte j'ai compris que j'avais commis une erreur et que j'allais rentrer encore plus mélancolique et encore plus déprimé par l'ennui.

Je ne suis pas venu la voir depuis deux ans. Quand elle me reproche mon absence je bredouille une formule vide comme « Je dois faire ma vie », et j'essaye d'y mettre assez de conviction pour renvoyer la culpabilité sur elle.

Mais je ne sais pas ce que je fais ici. Déjà, la dernière fois, j'étais monté dans la même voiture que cette semaine, cette voiture qui me rend malade avec son odeur de tabac froid, et en voyant défiler de l'autre côté de la portière les mêmes champs de maïs et de colza, les mêmes étendues de betteraves à sucre qui empestaient, les enfilades de maisons en briques, les affiches répugnantes du Front National, les petites églises sinistres, les stations-service désaffectées, les supermarchés rouillés, branlants, plantés au milieu des pâtures, ce paysage déprimant du nord de la France, j'avais été pris de nausées. J'avais compris que je me sentirais seul. J'étais reparti en me disant que je détestais la campagne et que je ne reviendrais plus jamais. Et cette année je reviens. *Et il y a autre chose. Ce n'est pas seulement parce que fatalement vous vous disputez cinq minutes après ton arrivée que tu ne viens plus*, j'ai pensé en arrivant, quand j'étais dans sa voiture, quand je chantais pour ne pas parler, *ce n'est pas seulement parce que tout, dans ses manières, dans ses habitudes, que tout dans ses façons de penser t'agresse et t'exaspère. C'est aussi que tu n'arrives plus à la voir depuis que tu as compris la facilité et l'indifférence avec lesquelles tu la négliges, souvent durement parce que tu espères qu'elle t'assistera dans l'effort d'abandon. Maintenant elle sait. Elle*

sait de quelle froideur tu es capable et tu as honte.
Même s'il n'y a pas de raison d'avoir honte, tu as
droit à l'abandon, mais tu as honte. Tu sais que lui
rendre visite te force à te confronter à ta cruauté,
à ce que la honte te fait appeler ta cruauté. Tu sais
qu'être avec Clara te force à voir ce que tu ne veux
pas voir de toi et que pour ça, tu lui en veux. Tu ne
peux pas t'empêcher de lui en vouloir.

Depuis la dernière visite je ne lui ai envoyé que quelques SMS ou quelques cartes postales formelles choisies au hasard par vague sentiment d'obligation familiale et qu'elle a aimantées à son frigo, chaque fois griffonnées rapidement sur un banc public ou sur un coin de table dans un café, « Baisers de Barcelone, À bientôt, Édouard » ou « Pensées de Rome, temps superbe », peut-être moins, en fait, pour maintenir un lien ténu entre elle et moi, comme je me le fais croire, que pour lui rappeler la distance qui nous sépare et lui faire savoir que désormais je suis loin d'elle.

Son mari est de retour du travail. De là où je suis, je peux voir ses pieds, à lui. Clara et lui sont dans le salon, je suis dans la pièce voisine. La porte est entrebâillée de quatre ou cinq centimètres, je l'écoute sans qu'ils puissent me voir, caché et dressé, raidi derrière la porte. Je ne peux pas les voir, seulement les entendre, je ne distingue que ses pieds à lui mais je devine qu'elle est assise sur la chaise, en face. Il l'écoute sans bouger et elle parle.

« Il m'a dit comme ça qu'il connaissait presque rien de lui, sauf son prénom : Reda. »

Didier et Geoffroy prétendent qu'il m'a menti et qu'il m'a donné un prénom inventé. Je n'en sais rien. Je m'acharne à ne pas le penser, chaque fois que j'y pense je fais un effort pour détourner mon attention. Je me concentre sur autre chose, comme si je voulais que, dans tout ce qu'il m'a pris, il m'ait laissé au moins ça, me poussant, de moi-même, à me convaincre que la connaissance de ces quatre lettres pourrait s'apparenter à une revanche, ou, si le mot est trop fort, à un pouvoir sur lui directement tiré de ce savoir. Je ne veux pas avoir perdu sur tous les plans. Quand j'évoque cette histoire autour de moi et qu'on m'objecte qu'à l'évidence il ne m'a pas donné son vrai prénom, et que de donner un faux prénom est même, dans un cas comme celui-là, dans cette configuration, une technique classique, un sentiment d'irritation et d'agressivité me saisit, dont je n'arrive pas à me défaire, cette idée m'apparaît comme la plus insupportable, d'un instant à l'autre je deviens agressif, je voudrais hurler, je voudrais faire taire mon interlocuteur, le secouer.

« Il me l'a répété, ce matin. On a été à la boulangerie, et je lui ai demandé de me redire », et effectivement sur la route je lui avais dit que lorsque Reda avait braqué son revolver sur moi, puisque c'était cette scène qu'elle voulait que je raconte encore et encore, quand il avait braqué son revolver, déjà la question que je me posais n'était plus *Va-t-il me tuer* car à ce moment ça ne faisait plus aucun doute pour moi, c'était irréversible, il allait me tuer et j'allais mourir, cette nuit-là, dans ma chambre, je me pliais aux circonstances avec cette capacité de l'individu à se plier et à s'adapter à toutes les situations, il suffit de regarder dans l'Histoire, même dans les contextes les plus contre nature et les plus atroces, les hommes s'ajustent, ils s'adaptent – ce qui, j'avais dit à Clara, à cause de ma tendance aux déclarations grandiloquentes, est en même temps le meilleur et le pire message pour l'humanité parce que ça signifie qu'il suffit de changer le monde pour changer les hommes, ou en tout cas en majorité, et Clara n'écoutait pas, il n'y a pas besoin de les changer individu par individu, ce qui prendrait trop de temps, les hommes s'adaptent, ils n'endurent pas, ils s'adaptent. La question n'était donc pas *Va-t-il me tuer* mais plutôt *Comment va-t-il me tuer*, à savoir : *Va-t-il me remettre son écharpe autour du cou pour m'étrangler*, ou : *Va-t-il se saisir des couteaux sales dans mon évier*, ou : *Va-t-il appuyer sur la détente de ce revolver*, ou : *Va-t-il trouver quelque chose que je ne peux même pas soupçonner* ; je n'espérais plus en réchapper, je n'espérais plus survivre, mais seulement mourir de la façon la moins douloureuse possible. Plus tard la police ou Clara m'ont félicité pour mon courage, et rien ne me paraissait plus contraire et étranger à cette nuit qu'une notion comme celle de courage. Il fait quelques pas en arrière, tenant fermement la crosse du pistolet. Il tend l'autre bras, celui qui ne tient pas l'arme, sans me quitter des yeux, et, dans le tas de vêtements empilés sur ma chaise de bureau, il tâtonne. Il reprend l'écharpe. Je pense : *Il va m'étrangler à nouveau.* Cependant, de retour près de moi il n'avait pas essayé de m'étrangler comme il l'avait fait quelques minutes auparavant, avant qu'il ne sorte son revolver. Il n'a pas porté ses mains vers mon cou. Cette fois il avait tenté de me ligoter, il s'empare de mon bras droit, il essaye d'attraper l'autre pour m'attacher avec l'écharpe, je me rappelle l'odeur de transpiration qu'il dégageait et l'odeur du sexe aussi. Je me débattais, je l'en empêchais, et j'avais tellement peur, je pensais : *je ne veux pas mourir,* une phrase aussi tristement, tragiquement banale. Je poussais de faibles cris, évidemment je ne criais pas trop fort. Je n'aurais pas pris ce risque. Je le repoussais, toujours calmement, le plus calmement possible, je lui demandais de *ne pas faire ça.* Je résistais, il n'arrivait pas à ses fins, il répétait en boucle, chaque fois plus fort *Toi je vais te faire la gueule Toi je vais te faire la gueule (faire la gueule* non pas au sens où on l'entend communément mais *faire* au sens de s'en occuper, c'est-à-dire, dans cette configuration, détruire) *Toi je vais te faire la gueule Toi je vais te faire la gueule.* Il hurlait. J'espérais qu'un voisin nous entendrait, qu'il appellerait la police, *Mais si la police surgit, il est possible que la peur d'être arrêté précipite ses gestes et qu'il me tue sur le coup, dans un accès de panique, en entendant la voix des policiers à travers la porte scander quelque chose comme : Police, ouvrez tout de suite.* Comme il avait échoué à m'attacher, il s'est emparé de nouveau du pistolet qu'il avait momentanément rangé dans la poche intérieure de son manteau en similicuir, il a jeté l'écharpe sur le sol ou l'a remise autour de son cou à lui, je ne sais plus, et il m'a plaqué contre le matelas.

Le matin du 25, quelques heures à peine après cette scène, j'ai marché et pédalé jusque chez Henri, et sur la route je pensais encore : *Dans une semaine tu te diras : Ça fait déjà une semaine que c'est arrivé, allez, et dans un an tu te diras : Ça fait déjà un an que c'est arrivé.* J'avais tout juste atteint son palier qu'il m'ouvrait la porte. Il avait dû entendre le bruit de mes pas. J'ai voulu me réfugier dans ses bras mais je me suis retenu dans un premier temps, pour quelle raison, je ne saurais pas le dire.

J'avais dit à Clara : « Je n'ai pourtant pas pensé qu'il pourrait être dangereux. » Je ne croyais pas, immédiatement après cette nuit avec Reda, ce qu'il m'est arrivé de croire par la suite, durant des mois, que tout le monde pouvait potentiellement devenir dangereux, y compris les personnes dont j'étais le plus proche, pensant que n'importe qui pourrait être frappé de folie meurtrière, être tout à coup dominé par l'envie de la destruction et du sang, et m'attaquer, sans prévenir, même Didier et Geoffroy mes deux amis les plus proches, mais pourtant face à Henri quelque chose me retenait. Nous sommes restés figés, et ces quelques instants où le temps s'était arrêté je sentais qu'il me scrutait et qu'il m'analysait, discrètement, à la recherche de tous les signes qui auraient pu donner des indices sur la raison de ma présence ici, aussi tôt, un jour aussi inattendu que celui-là. Ses yeux me balayaient, ils parcouraient mes cheveux sales, gras, mes yeux cernés, encerclés, exténués, mon cou constellé de marques violettes, mes lèvres pourpres, boursouflées. À chaque trace qu'il relevait son visage s'affaissait ; je me rappelle les douches répétées avant l'arrivée chez Henri, et pourtant je me rappelle très exactement avoir eu les cheveux sales quand j'étais chez lui. Il m'a proposé d'entrer. Il marchait derrière moi et en avançant je sentais son regard posé sur ma nuque. Je ne pleurais pas. J'ai pénétré dans son appartement. Il y avait des photographies encadrées, posées sur ses meubles, et derrière le canapé, un grand portrait de lui, sous verre. Je me suis assis et Henri a fait du café. Il est revenu de sa cuisine avec les deux tasses dans les mains, qui tremblaient sur leur soucoupe ; il m'a demandé si je souhaitais en parler, j'ai répondu que oui. J'ai décrit Reda, d'abord ses yeux marron et ses sourcils noirs, j'ai commencé par ses yeux. Son visage était lisse. Ses traits étaient à la fois doux et marqués, masculins. Quand il souriait des fossettes creusaient son visage et il souriait beaucoup. La copie de la plainte que je garde chez moi, rédigée dans un langage policier, mentionne : *Type maghrébin*. Chaque fois que mes yeux se posent dessus ce mot m'exaspère, parce que j'y entends encore le racisme de la police pendant l'interrogatoire qui a suivi le 25 décembre, ce racisme compulsif et finalement, toutes choses considérées, ce qui me semblait être le seul élément qui les reliait entre eux, le seul élément, avec l'uniforme trop serré, sur lequel reposait leur unité ce soir-là, puisque pour eux *type maghrébin* n'indiquait pas une origine géographique mais voulait dire racaille, voyou, délinquant. J'avais dressé un rapide portrait de Reda à la police après qu'ils me l'avaient demandé, et, tout à coup, le policier qui était là m'avait interrompu : « Ah type maghrébin vous voulez dire. » Il triomphait, il était, je ne dirais pas *très heureux*, j'exagérerais, mais il souriait, il jubilait comme si j'avais admis quelque chose qu'il voulait me faire dire depuis mon arrivée, comme si je lui avais enfin apporté la preuve qu'il vivait du côté de la vérité depuis toujours, il répétait : « type maghrébin, type maghrébin », et entre deux phrases il redisait : « type maghrébin, type maghrébin ». J'ai raconté la nuit à Henri avant d'aller m'allonger sur son lit. Il m'a indiqué sa chambre sur la mezzanine et je suis monté pour aller dormir. Je n'avais pas dormi depuis longtemps, sauf pendant les quelques siestes avec Reda.

Deux

Ma sœur poursuit son monologue, je l'entends, elle boit de petites gorgées d'eau, elle déglutit, pose son verre sur la table, j'entends le claquement du verre qui percute le contreplaqué de la table :

« Et c'était ça le plus étonnant pour lui, il m'a dit : Je me suis réveillé ce jour-là et c'est là que ça a commencé. Comme ça *(je lui ai dit que j'étais allongé sur mon lit, couché sur le dos, j'avais ouvert les yeux et je sentais les courbatures traverser mon corps, comme des lames de couteau, ciseler mon corps partout entre mes côtes, je sentais mon dos aussi dur qu'une carapace)*, et alors ce qu'il a pensé sur le coup et qu'il a encore pensé après, les jours d'après, c'est que plus jamais à partir de maintenant il pourrait supporter de voir d'autres gens heureux. C'est con. Une phrase aussi bête. Qu'est-ce que tu voulais que je réponde à ça. J'ai rien dit moi, j'ai fait semblant que je regardais mes chaussures. J'avais l'air fine *(j'essayais de me rendormir, je voulais dormir encore, mais mon corps était trop douloureux)*. Et alors il m'a fait Je détestais les autres, je sais bien que ça n'a pas de sens Clara mais je me suis réveillé ce matin-là en pensant que je détestais les autres *(et je pensais : Comment pouvez-vous)*.

« Je trouvais ça un peu spécial. Il faut pas croire, je trouvais pas ça normal. Bon. Je me disais dans ma tête Mieux vaut entendre ça que d'être sourd remarque. Mais je me retenais de faire la réflexion sinon ça me serait retombé dessus. Il m'a dit Je détestais les autres *(et je pensais : Comment pouvez-vous, je m'étais réveillé ce matin-là, après le départ de Reda, avec un goût inconnu dans la bouche et l'idée que je ne pourrais plus jamais supporter la moindre trace, le moindre signe ou la moindre apparence de ce qui se présenterait comme le bonheur, j'aurais pu gifler la première personne que j'aurais croisée en train de sourire, l'attraper par le col de son manteau, la secouer de toutes mes forces, et crier, hurler, et même les enfants, même les enfants, les faibles ou les malades j'aurais voulu les secouer et leur cracher au visage, les griffer jusqu'au sang, jusqu'à ce qu'ils n'aient plus de visage, que tous les visages autour de moi disparaissent. J'aurais voulu leur planter mes doigts dans les yeux, les arracher, les écraser entre mes doigts, et je pensais : Comment pouvez-vous, et ce n'était pas de ma faute, j'aurais voulu attraper les malades les soulever et les jeter de leur fauteuil roulant, mon dieu, je ne pouvais plus voir un sourire ou entendre un rire, dehors, dans les rues, au parc, au café, partout, les rires transperçaient mes tympans et restaient bloqués dans mes oreilles, ils résonnaient à l'intérieur de mon crâne pour le reste de la journée, bloqués dans mon crâne, dans mes yeux, sous mes lèvres – comme si les rires existaient contre moi).*

« Alors quoi ? Moi je suppose qu'il a posé ses mains sur sa peau et sur ses bras et ses jambes et son sexe et qu'il se tâtait pour être bien certain que c'était pas un rêve. Il pouvait même pas sortir histoire de prendre l'air et de s'aérer son cerveau. C'était pas possible il faisait un temps du diable dehors *(j'entendais le crépitement de l'eau sur les vitres, il pleuvait, il avait plu tout au long du mois de janvier).* Il essayait de se rendormir mais elles lui provoquaient trop de douleurs ses courbatures pis de toute façon il repensait à tout ça. Il reconnaissait plus rien. Un peu comme quand t'espères que tu vas t'endormir et le lendemain te lever en étant quelqu'un d'autre, comme une métamorphose, sauf que là il l'avait pas voulu, et pas comme ça.

« Et même quand c'était pas réel *(même quand ce n'était pas réel).* Même quand il voyait des panneaux de réclames sur les bus ou sur les murs d'immeuble, je veux dire, toutes les photos de familles heureuses en train de manger le petit déjeuner ou au bord d'une piscine, bref ce que les réclames elles veulent te faire passer pour le bonheur, il avait envie de prendre un couteau ou n'importe quoi, une clé dans sa poche pour déchirer les visages *(j'aurais voulu y mettre le feu).* Il voulait tirer le plus de gens possible avec lui vers le fond il m'a dit *(je lui avais dit : répandre la douleur).* Et il m'a dit Je sais bien que ça a pas de sens *(je pensais : Comment pouvez-vous, mais ce n'était pas seulement quand je les voyais sourire, je lui avais dit que le malheur non plus je ne pouvais plus le*

supporter sur le visage des autres, comme s'il était
moins authentique, moins vrai, moins profond, moins
réel que le mien).

« C'est vrai aussi qu'elle nous en racontait beaucoup des histoires comme ça, la mère. Alors c'est peut-être parce qu'elle lui avait tellement répété quand il habitait encore avec nous qu'il a réagi comme ça. Qui sait. L'autre coup dans une émission sur la Deux il y avait un bonhomme qui expliquait que si on avait jamais entendu parler de l'amour on serait peut-être pas capable de tomber amoureux. Bon. Quand je me dis ça après je me dis : Arrête la télé chérie tu te grilles les neurones. Mais quand même. J'y pense.

« C'est quand elle avait commencé à faire le ménage chez les personnes âgées, avant que je te connaisse. Oh, on peut pas dire c'est un métier d'avenir il y aura toujours des jeunes pour devenir vieux. Elle les lavait et pis elle leur donnait leurs médicaments et en rentrant, elle se plaignait. Ma parole qu'elle s'était battue comme une furie pour faire son métier. Une femme ici elle peut pas faire grandchose surtout depuis que l'usine elle embauche plus, tout se perd, et qu'il y a le bruit qui court qu'elle va fermer définitivement. »

Et plus que ça, ç'avait été plus compliqué que ce qu'elle dit pour notre mère qui n'avait pas le permis de conduire et qui devait faire face à la concurrence des autres femmes, nombreuses, qui voulaient exercer ce métier en partie pour apporter de l'argent au foyer, en partie pour s'émanciper du poids de leur mari. Elle avait lutté pour obtenir le poste qui s'était libéré par miracle, prenant son vélo qu'elle avait fait réparer spécialement pour l'occasion et qu'elle enfourchait pour se rendre d'une administration à l'autre, s'habillant avec soin et tirant ses cheveux en arrière, se maquillant un peu plus et un peu mieux que les jours précédents, alors que notre père n'aimait pas ça, et le lui reprochait ou lui interdisait, « T'es bien plus belle sans », « C'est bon pour les putes », retournant frapper à la porte des administrations en question, y retournant encore et encore quand on lui opposait un refus ou qu'elle sentait que la situation lui échappait, lui glissait entre les doigts, pour donner la preuve de sa détermination, se déplaçant qu'il pleuve ou qu'il neige toujours sur ce même vélo, rédigeant des lettres les unes après les autres, passant des coups de téléphone pour exprimer son inquiétude lorsqu'elle n'avait pas eu de réponse. Et elle y était parvenue, ça avait été son métier plusieurs années. Elle rentrait et elle nous décrivait comment les personnes âgées chez qui elle travaillait, sûrement à cause d'une espèce d'instinct animal, basculaient dans des états sans nom, comme si elles voulaient faire payer leur mort prochaine aux autres, comme si laisser un souvenir infect de leur vie avait pu rendre l'idée de la mort plus acceptable ; elles brisaient tout dans la maison, elles arrachaient les nappes, fracassaient les souvenirs sur le sol, projetaient la vaisselle contre les murs.

« Pis tous les jours ça recommençait. Tous les jours elles faisaient voler les bibelots dans tous les sens, les cadres, les boules à neige de Lourdes, les sets de table qu'elles avaient ramenés de vacances. Elles broyaient tout, elles défonçaient tout. Elles poussaient des hurlements de foldingues comme t'en as jamais entendu, jamais, et comme t'en entendras jamais, des cris qu'après t'emportes avec toi et que tu peux pas oublier, oh, et même des femmes qui avaient joué à la Madame toute leur vie et qui avaient toujours fait des manières. Même elles, faudrait pas croire qu'elles sont mieux que les autres. Elles sont même encore plus obscènes parce qu'elles ont enfin la possibilité de se déchaîner et de faire tout ce qu'elles s'étaient retenues de faire pendant leur vie. Elles braillaient des chansons paillardes, *C'est la grosse bite à Dudule, Ah la salope va laver ton cul malpropre*, bon, et pis d'autres jours, les pires jours, elles faisaient leurs besoins aux quatre coins de leur propre baraque, elle me racontait ma mère, sur la table de cuisine, sur le sol, partout. Elles semaient leurs besoins quand ma mère, agenouillée, elle essayait tant bien que mal de nettoyer leur peau toute flasque et leur peau fripée posée sur la chaise du salon avec rien d'autre qu'un gant de toilette tout rêche et une bassine en plastique pourrite, les corps tellement flasques que c'était comme si ils débordaient et même comme si ils s'écoulaient de la chaise. Et la mère, elle, en rentrant, elle pleurait, après sa journée au boulot. Elle en pouvait plus. Elle pleurait : Tu te rends compte elle a chié partout la vieille Milard. Elle s'est torchée avec les rideaux de la salle à manger moi j'en peux plus je

tiendrai pas longtemps comme ça, je tiendrai pas longtemps. Elle nous racontait Il y avait de la merde partout, j'ai dû nettoyer et moi je supporte pas ça l'odeur
de la merde tu sais bien la merde c'est un truc qui m'a
toujours dégoûtée, pour moi c'est la pire des choses,
j'ai jamais pu m'y faire et c'est pas demain la veille.
J'avais envie de vomir je me retenais mais c'était dur
de pas vomir partout, de pas remettre du vomi par-
dessus et ainsi de suite et jamais m'en sortir – alors on
lui répondait Vivement la canicule que tu sois débar-
rassée, la mère. Ça la détendait. Et donc Édouard
– pas à ce niveau-là quand même, il ne faudrait pas en
rajouter, n'exagérons rien – mais longtemps après ce
Noël il a eu des coups de nerfs comme ça, des envies
d'entraîner avec lui les autres vers le fond, comme les
vieilles que notre mère elle s'occupait. Et il m'a dit :
De jour en jour c'était plus difficile. Il avait fini par se
décider à rester chez lui, tout seul, il bougeait plus de
chez lui. Il fermait ses volets. Il restait cloîtré. Il pla-
quait ses deux mains contre ses deux oreilles et il
appuyait pour ne plus entendre la voix des voisins à
travers la paroi des murs ou les conversations de la
gardienne dans la cour de l'immeuble. »

Les jours où j'étais plus apaisé je me voyais aborder un inconnu dans un lieu public, sur un trottoir ou
dans les rayons d'un supermarché, pour tout lui
dévoiler de mon histoire, tout dire. Dans mes visions
je m'approchais, l'inconnu sursautait et je commen-
çais à parler, aussi familier et détaché que si je
l'avais connu depuis toujours, sans dire mon nom,
et ce que je lui disais était si laid qu'il ne pouvait

que rester sur place et m'écouter jusqu'au bout ; il m'écoutait et j'observais son visage. Je passais mon temps à fantasmer des scènes où je l'aurais fait. Je ne l'ai pas dit à Clara mais ce fantasme de l'impudeur totale et du spectacle m'a nourri pendant des semaines.

C'est que je ne pouvais plus arrêter d'en parler. J'avais raconté l'histoire à la plupart de mes amis la semaine d'après Noël, mais pas exclusivement ; je l'avais aussi répétée à des personnes dont j'étais moins proche, des connaissances ou des gens avec qui je n'avais parlé que quelques fois, parfois seulement sur Facebook. Je m'agaçais quand les autres essayaient de me répondre, qu'ils faisaient preuve de trop d'empathie ou qu'ils me donnaient leur analyse de ce qui était arrivé, comme lorsque Didier et Geoffroy pariaient que Reda n'était pas son nom. Je désirais que tout le monde sache mais je voulais être le seul au milieu d'eux à discerner la vérité, et plus je le disais, plus j'en parlais, plus je renforçais mon sentiment d'être le seul à réellement savoir, l'unique, par contraste avec ce que je considérais être la naïveté risible des autres. Dans n'importe quelle conversation je faisais en sorte de revenir sur Reda, d'aller jusqu'à lui, de tout rapporter à lui, comme si tout sujet de conversation devait *logiquement* mener au souvenir de lui.

La première semaine de février – à peine plus d'un mois après Noël – j'avais rencontré un auteur qui m'avait écrit peu de temps avant pour me proposer de déjeuner avec lui. Je ne le connaissais pas mais j'avais accepté, et je savais pourquoi j'avais accepté. Il voulait que j'écrive un texte pour le numéro spécial d'une revue littéraire qu'il coordonnait (je lui ai rendu un très mauvais texte quelques jours plus tard, pour des raisons évidentes), et avec lui j'ai reproduit ce comportement. Pendant ces jours-là je vivais à côté de ma parole. L'auteur est entré dans le restaurant où je l'attendais, et où déjà je tressaillais sur ma chaise en appuyant frénétiquement sur la gomme du Criterium qui traînait par hasard dans ma poche ; il s'était assis, il avait ôté son manteau de flanelle, il m'avait tendu la main et à peine installé sur sa chaise, mes lèvres me brûlaient d'envie de parler de Noël. J'ai pensé : *Non, tu ne peux pas quand même parler de ça maintenant. Attends un peu. Pas maintenant. Au moins par politesse. Attends un peu. Fais au moins semblant de parler d'autre chose.* Dehors le gris-bleu du ciel se reflétait sur les murs des immeubles, je m'en souviens non pas parce que le ciel m'intéresse mais parce que je n'écoutais pas et que je regardais par la fenêtre, distrait et désintéressé, quand ce n'était pas moi qui avais la parole.

Nous avons échangé quelques phrases et pendant approximativement dix minutes j'ai retenu mon souffle, je débordais, je sentais le nom de Reda me couler sur les lèvres. Je me contenais, j'ai joué à engager une conversation typique de ce genre de rencontre, je jouais le rôle, je le faisais parler de son travail, de ses livres, de ses projets, mais je ne l'écoutais pas. Je n'écoutais rien. Je répondais à ses questions sur les mêmes sujets et je n'écoutais pas plus mes réponses que les siennes ; il était d'autant plus difficile de me calmer que toutes les phrases qu'il disait ou qu'il me faisait dire par ses questions, toutes ses réflexions me semblaient être des invitations détournées à parler de Noël. Je veux dire que je créais des liens partout, que toute ma perception, donc ma construction de la réalité était conditionnée par Reda. Et je m'exprimais avec cette crainte que les mots *Reda*, ou *Noël* s'échappent, trop tôt, contre ma volonté.

Puis j'ai parlé. J'ai estimé que le moment était venu, j'ai pensé : *Maintenant je me suis retenu assez longtemps, maintenant tu as gagné le droit de parler* et j'ai fait ce que depuis son entrée au restaurant j'avais attendu : j'ai monopolisé la parole, j'ai parlé seul pendant toute la durée du déjeuner et lui n'a plus dit quoi que ce soit à part de brefs commentaires qu'il lâchait entre deux bouchées de nourriture, qui grossissaient ma jubilation : « C'est terrible, Quelle horreur, Mon Dieu etc. » À la fin du repas je l'ai supplié de ne rien répéter ; je ne saisissais d'ailleurs pas pourquoi, et de ça aussi je me suis excusé, de ça aussi je m'excusais, pourquoi je lui avais tout raconté, à lui que je ne connaissais pas, comment j'avais pu, je le reconnaissais, être aussi déplacé et aussi grossier. C'est sur ce même modèle que j'ai existé, parlé, agi au cours des semaines qui ont suivi l'agression.

La folie de la parole avait commencé à l'hôpital. C'était une heure ou deux plus ou moins après le départ de Reda, j'avais couru jusqu'aux urgences près de chez moi pour demander une trithérapie préventive. L'hôpital était presque désert ce matin du 25 décembre ; un SDF faisait les cent pas dans la salle d'attente des urgences. Il n'attendait pas mais il occupait les lieux pour ne pas rester dehors dans le froid. Il m'a dit « Joyeux Noël monsieur » quand je me suis assis à quelques mètres de lui. Ce *Joyeux Noël monsieur*, déplacé, improbable dans ce cadre et après ce qu'il venait de se passer, m'a fait rire. Un fou rire irrépressible s'est emparé de moi, un rire bruyant et gras qui résonnait dans la salle d'attente vide, je me souviens, un rire terrible qui se cognait contre les murs, je me pliais, tenais mon estomac des deux mains, je ne pouvais plus respirer, et j'ai répliqué entre deux rires, essoufflé : « Merci monsieur, merci, joyeux Noël à vous également. »

J'attendais. Mais personne ne venait. Je restais assis. J'avais le sentiment d'être le figurant d'une histoire qui n'était pas la mienne. Je m'acharnais à me souvenir pour chasser la pensée, non pas que rien n'avait eu lieu – comment est-ce que j'aurais pu penser ça –, mais que c'était arrivé à un autre, à une autre personne, et que j'avais observé la scène de l'extérieur ; j'ai pensé : *C'est de là que vient cette obsession. C'est pour ça que tu te demandes, obsessionnellement, ce que l'enfant que tu étais aurait pensé de l'adulte que tu es devenu.* Je pensais : *Parce que tu as toujours eu cette sensation que ta vie s'est déroulée hors de toi, et en dépit de toi, et que tu l'as regardée se construire à l'écart et qu'elle ne te ressemble pas. Ce n'est pas seulement aujourd'hui. Quand tu étais petit et que tes*

31

parents t'emmenaient au supermarché tu regar-
dais les passants avec leurs caddies. Tu les fixais,
tu avais pris cette manie tu ne sais plus où. Tu
regardais leurs vêtements, leur façon de marcher,
et tu te disais : Pourvu que je sois comme ça,
pourvu que je ne sois pas comme ça. Et tu n'aurais
jamais pensé à devenir ce que tu es aujourd'hui.
Jamais. Tu n'aurais même pas pensé à ne pas le
vouloir.

J'étirais le cou pour voir par-delà les hublots qui
encerclaient la salle d'attente, c'était une manière de
passer le temps. Le temps s'enlisait. J'attendais
qu'une des portes sécurisées s'ouvre, j'attendais
qu'un médecin apparaisse, je toussais, je reniflais,
je pressais le bouton rouge d'une petite sonnette
située sur le bureau de l'accueil, et un infirmier est
arrivé, après vingt ou trente minutes d'attente. C'est
là qu'a commencé cette folie de la parole. Sa première manifestation, donc. Déjà il m'avait fallu me
retenir d'en parler au SDF carrément ivre, après son
Joyeux Noël, et pour ne pas répliquer que ce qu'il
me disait était ironique étant donné que j'étais à
l'hôpital ce 25 décembre, c'est-à-dire à un moment
où j'aurais dû être ailleurs, tout autant que lui, pour
ne pas commencer à tout lui dire de ce qui m'avait
conduit jusqu'ici, aux urgences. Je ne me suis pas
retenu cette fois, et à cet infirmier qui voulait savoir
vers quel service il devait m'expédier – après
réflexion, je crois qu'il n'était pas infirmier, mais
peut-être gardien, ou hôte d'accueil, ou standardiste
– j'ai tout raconté. Je ne retenais pas mes pleurs. Je
n'essayais pas de les retenir, j'étais convaincu que si

je ne pleurais pas il ne me croirait pas. Mes larmes n'étaient pas fausses, la douleur était réelle. Mais je savais qu'il fallait que je me plie au rôle si je voulais avoir des chances d'être cru.

Évidemment c'est une angoisse qui a grandi les jours d'après. Plus tard, dans un autre hôpital, malgré ma détermination à émouvoir le médecin pour qu'il comprenne et pour qu'il me croie, ma voix était restée monocorde et métallique, je parlais avec froideur et distance, mes yeux restaient secs. J'avais trop pleuré, je n'avais plus rien à donner. *Tu dois pleurer ou il ne te croira pas*, je pensais, *tu dois pleurer*. Mes yeux étaient devenus les yeux d'un étranger. Je me forçais. Je me suis contraint à faire monter les larmes, je me concentrais sur les images de Reda, de son visage, du revolver pour que les larmes coulent mais rien n'y faisait, les larmes ne coulaient pas, mes efforts ne payaient pas, les larmes ne se formaient pas, n'enflaient pas aux extrémités de mon regard, mon regard restait désespérément sec, j'étais toujours aussi placide qu'à mon arrivée et le médecin derrière ses lunettes hochait la tête, les lunettes glissaient sur son nez.

J'ai appelé au secours d'autres scènes de ma vie. Je me suis remémoré d'autres souvenirs difficiles, les plus tristes et les plus douloureux que je possédais pour faire venir les larmes. Je me suis rappelé l'annonce de la mort de Dimitri.

Didier m'avait téléphoné en pleine nuit pour m'annoncer sa mort, ce soir-là je me promenais, c'était la nuit, j'étais seul et le téléphone avait d'abord sonné et vibré dans ma poche. C'était

Didier qui m'envoyait un message pour me demander : « Je peux t'appeler ? » ; et j'avais craint le pire,
d'habitude il ne demandait pas s'il pouvait appeler
avant d'appeler, j'avais peur qu'il soit arrivé
quelque chose de grave à Geoffroy, j'imaginais un
accident. J'essayais de m'empêcher de penser à son
corps étendu sur une civière, l'image était tout de
suite apparue, et j'avais écrit : « Oui bien sûr »,
tremblant déjà, les doigts qui glissaient, chance-
laient sur l'écran.

Le portable avait sonné une deuxième fois, j'avais
hésité, et Didier m'avait annoncé, la voix à la fois
posée et vacillante, vacillante justement de ce calme
trop appuyé et artificiel, que Dimitri, qui était en
déplacement pour une réunion importante loin de
Paris et à qui j'avais parlé quelques heures plus tôt
par téléphone, était mort.

J'essayais de provoquer une crise de larmes
pour convaincre le médecin de ce que je disais
mais c'était trop ancien, ça ne me touchait plus. Je
m'astreignais aux larmes et lui, il maintenait son
scepticisme, je pensais que ces deux forces opposées au même moment, leur rencontre, nous per-
mettraient d'atteindre ou plutôt de rétablir la vérité,
que la vérité était dans cette rencontre, qu'elle naî-
trait de la tension. J'ai fait tout ce que j'ai pu pour
pleurer mais je n'ai pas réussi.

J'étais donc devant l'infirmier dans le premier
hôpital, ce soir-là je pleurais sans problème. Il m'a
rassuré : « Quelqu'un va s'occuper de vous, de mon
côté je ne peux pas faire grand-chose », et il fallait
étouffer le désir de hurler : « Je crois que vous ne

comprenez pas. » Finalement l'infirmière est arrivée. Quand elle s'est approchée de moi et m'a demandé ce qui m'amenait ici, j'ai parlé, je parlais, je parlais.

Maintenant c'est terminé. Mon comportement a changé. Ma volonté de tout dire s'est transformée peu à peu en un essoufflement constant, une fatigue indifférente, je suis épuisé, et c'est cet état qui m'a décidé à monter dans le train et à faire la route jusque chez Clara. Il me reste quelques peurs qui surgissent parfois et que j'essaye de ne pas nommer. Celle, par exemple, dont je lui ai parlé hier à notre retour de la forêt où nous étions allés marcher. Je lui ai dit que j'étais hanté depuis Noël dernier par une histoire que Cyril m'a rapportée je ne sais plus quand, mais peu importe, à propos de ces gens qui pensaient avoir été contaminés par le sida ou qui avaient appris qu'ils l'étaient à l'époque de l'apparition de cette maladie, quand il n'existait aucun traitement. Cyril marchait à côté de moi. Aucun traitement n'avait été trouvé, il m'avait dit, et ces gens, quand ils pensaient être contaminés ou qu'ils le savaient, s'attendaient à mourir, rapidement, alors, avait-il continué, certains parmi eux, plus nombreux qu'on ne pouvait l'imaginer, avaient tout arrêté pour profiter de ce temps qu'il leur restait, de ce peu de temps, comme on peut s'y attendre. Nous étions de retour d'une soirée quand Cyril me l'avait dit, je me rappelle, c'était un soir, il poussait son vélo à côté de moi. Ils avaient tout arrêté ; à cause de cette certitude de la mort ils avaient mis fin à ce qu'au fond ils avaient toujours subi, ce qu'ils pensaient avoir vécu mais que la proximité avec la mort leur faisait apparaître comme des choses qu'ils avaient subies, seulement subies. Ils avaient abandonné leur métier, ils avaient fui leur appartement, abandonné leurs pratiques sportives, culturelles, leurs cercles d'amis. Ils ne voulaient plus jamais s'imposer ce qui leur apparaissait comme des contraintes, des choses simples : ils avaient décidé de ne plus mettre le réveil au matin, ne plus tenter d'arrêter la cigarette ou l'alcool, ne plus fréquenter les gens qu'ils n'aimaient pas vraiment et qu'ils continuaient à fréquenter sans trop savoir pourquoi, ne plus serrer la main de ceux qui en fin de compte leur répugnaient, ne plus se soumettre aux rituels des diplômes et de la reconnaissance sociale, ne plus surveiller leur alimentation, ne plus travailler pour un autre, ne plus se laisser écraser, exploiter, ne plus croire à ce qu'on leur présentait comme étant la vie, bref, ne plus se soumettre à des impératifs qui allaient contre leurs instincts. Mais il se trouve que certains ne sont pas morts ; un certain nombre de ces gens qui pensaient mourir ont pour ainsi dire mira-culeusement survécu. Ils avaient tout préparé pour la mort mais elle n'est pas venue à eux. Cyril avait ajouté que, seulement, après cette rupture, la plupart des rescapés n'ont plus jamais réussi à se réinsérer dans la vie dite normale. Ils n'ont plus jamais réussi à reprendre leur métier, leur appartement, à revoir ceux qu'ils n'avaient plus voulu voir. Et depuis, j'ai avoué à Clara, j'ai peur d'avoir une réaction iden-tique à ces gens, depuis que ce soir avec Reda j'ai éprouvé la certitude de ma propre mort, j'ai peur de ne plus croire, de ne croire en rien et d'opposer aux absurdités de ma vie d'autres absurdités : campagne, repos, existence modeste, solitude, lectures, eau, ruisseau, voire : animaux, basse-cour, feu de bois, parce que ce ne serait que ça, que ce ne serait qu'opposer des absurdités à d'autres ; et je pensais : *Et ce séjour chez Clara est ton échec.*

Trois

Elle reprend son souffle. Elle dit que j'avais garé mon vélo à environ trois ou quatre cents mètres de chez moi, de l'autre côté de la place de la République. J'avais voulu le poser un peu plus loin que d'habitude pour marcher et éliminer une partie de l'alcool que j'avais bu avec Didier et Geoffroy. Je n'étais pas ivre. J'avais bu un peu plus que les autres fois parce que c'était Noël, j'avais peut-être bu une bouteille de vin ou deux, je ne suis plus sûr, mais je n'étais pas saoul. Je tenais sous le bras mes cadeaux, deux livres de Claude Simon, dédicacés par Simon, adressés à Didier qui venait de me les offrir, et un volume des *Œuvres complètes* de Nietzsche qui contenait, que je me souvienne, *Ecce Homo* et quelques autres, emballé dans du papier kraft, acheté par Geoffroy à la librairie Gallimard du boulevard Raspail.

« Alors je suis prête à parier qu'il tenait ses livres dans le bon sens, comme ça, pour que tout le monde puisse bien voir ce qu'il lisait, avec les couvertures bien visibles dans ses mains – tu sais comment les gens font. Et surtout, c'est là que j'voulais en venir, surtout je suis certaine qu'il pensait en marchant, pendant qu'il avançait, quelque chose comme : Ça fait un sacré chemin parcouru. C'est ça, un sacré chemin parcouru. Et puis qui se la répétait pour bien faire, sa phrase : Ça fait un sacré chemin parcouru, je sais pas, en se comparant à son passé et qu'en plus – parce qu'il est obsédé par ça, je vois bien qu'il ne m'parle que de ça depuis qu'il est là avec moi – qu'il se comparait aux jeunes du village, ceux avec qui il traînait à l'arrêt de bus à l'adolescence. »

Elle dit qu'elle nous voyait faire du vélo sur la place de la mairie, souvent à trois sur le même vélo. Je montais sur le guidon pendant qu'un autre pédalait, debout, et qu'un autre encore était assis sur la selle, et on tournait en rond sur la place, on tournait autour du monument aux morts de la Première Guerre mondiale. À cause du poids de trois personnes sur le même vélo on ne pouvait pas accélérer et les pneus étaient toujours sur le point d'exploser contre le bitume du fait de la pression. Les gendarmes nous arrêtaient mais on recommençait, et quand elle passait par là, qu'elle nous voyait sur la place, elle criait « Eh les clampins, vous avez de l'allure on dirait des grenouilles sur une allumette ! ». « C'est parce que je voulais qu'ils sachent que j'étais pas comme les autres filles à me laisser faire et à me laisser marcher sur les pieds. L'importance c'est de les mordre avant qu'eux ils te mordent, pour qu'ils comprennent. C'est simple comme ça avec les garçons. C'est la première fois qui compte. C'est de commencer. Si tu mords le premier après t'es tranquille. »

Elle dit que quand j'ai eu treize ou quatorze ans elle nous a vus passer de la place de la mairie à l'arrêt de car. Qu'on y restait jusqu'à très tard dans la nuit et qu'on y buvait du pastis ou du whisky dans des gobelets avec le coffre de la voiture ouvert quelques mètres plus loin pour entendre la musique du poste (Brian, le voisin, était plus vieux que moi, il avait le permis de conduire et une voiture).

« Alors c'est à eux qu'il doit repenser, souvent. Un jour il a fini par l'admettre, je me suis dit : Ça y est mon salaud enfin tu dis les choses, tu dis les choses en face, tu craches le morceau. Vas-y, crache. Moi, j'étais pas surprise. Une fois il m'a dit que quand il revient au village et qu'il va dire bonjour à ses anciens copains, ceux avec qui il faisait le gadjo à l'arrêt de bus des années avant comme je te disais, quand il se retrouve avec eux dix ans plus tard il saurait pas dire. Il ne saurait pas dire si maintenant il est devenu beaucoup plus vieux qu'eux ou plus jeune. On connaît jamais son âge il m'a dit. Parce que quand il les voit, là, déjà avec des poussettes et déjà avec des familles et avec des responsabilités ou à faire bâtir dans le village d'à côté, tout ce qui rend adulte alors que lui il est encore à l'école, il a l'impression que d'un seul coup il a vingt ans de moins qu'eux alors qu'il a exactement le même âge. Et c'est parce que lui, il a pas tout ça. Il a ni maison, ni femme bien sûr et ça c'est pas demain la veille, ni voiture, ni enfant, et ça lui paraît loin. Il les observe, il voit comme eux ils sont déjà tombés dans des vies d'adultes pour l'éternité et donc il se dit Tout à coup j'ai vingt ans de plus jeune qu'eux. C'est pour ça.

« Et il y a des autres fois c'est le contraire. Parce que quand il les regarde et qu'il se rend compte qu'ils portent encore les mêmes habits que quand gamin il jouait avec eux, je veux dire les mêmes sur-vêtements Airness que Édouard il adorait et qu'il portait, les mêmes fausses sacoches Louis Vuitton à quinze balles autour du cou et qu'ils ont encore les mêmes occupations qu'avant, cette fois il se dit que c'est eux qui n'ont pas grandi. Même s'ils ont des gosses, tu crois qu'ils ont changé ? Tu parles, ils continuent à se voir, peut-être plus à l'arrêt de bus maintenant mais dans la maison qu'ils ont fait bâtir, à boire les mêmes bières Kœnigsbier, à faire les mêmes blagues en les buvant, C'est pas de la bière c'est de la pisse d'âne, tellement elle est mauvaise, ou : Mieux vaut laper que la guerre, et sur ça au moins on pouvait pas les contredire, ils buvaient pas, ils ne savent pas boire et ils n'ont jamais su le faire, ils lapaient. Ils se prennent pour des hommes mais ils savent même pas boire correctement. Ils font la même chose le week-end, parler de filles ou faire des compétitions – peut-être plus des compétitions de mobylettes mais de voitures depuis qu'ils ont leur permis ce qui change rien, ça fait que deux roues de plus. Alors quand Édouard il se rend compte que tout ça c'est exactement comme avant il a l'impression que cette fois-ci c'est lui qui a vingt ans de plus qu'eux et que tout d'un seul coup il est très vieux, qu'il est plus vieux de vingt ans alors qu'ils ont exactement le même âge. Il m'a dit Je me sens vieux. J'ai même honte de mon corps en les voyant. Il se redresse et il fait bien attention à comment il marche. Il se regarde marcher dans le reflet des voitures parce qu'il se voit marcher comme un petit vieux par rapport à eux. Il essaye d'avoir une démarche plus jeune. Pis chaque fois qu'il vient ici – il vient quand même pas souvent, on ne sait pas ce qu'on a fait de mal – chaque fois qu'il vient il dit comme ça qu'il serait pas capable de décider à cause de tout ça si il a vingt ans de plus ou vingt ans de moins que ceux avec qui il a grandi. Un jour il pense : J'ai vingt ans de plus, et le lendemain il pense : J'ai vingt ans de moins. C'est pour ça qu'il dit qu'on connaît jamais son âge.

« Alors il marchait, et je mettrais ma main sur le feu qu'il se disait : Ça fait un sacré chemin parcouru. Bien sûr en pensant ça il y a des fois où il doit penser à moi aussi. Il y a pas de raison pour qu'il m'épargne. Crois-tu. Et se rassurer, et se répéter : Je suis plus comme elle, J'ai fait du chemin. Ça fait un sacré chemin parcouru. Et ça m'anéantit qu'il puisse penser des choses comme ça. »

Maintenant je ne bouge plus pour continuer de l'écouter, et je ne sais pas si je parviens à rester aussi immobile derrière la porte grâce à ma concentration et à mes propres forces ou si c'est ce qu'elle vient de dire qui me fait honte et qui me blesse à un tel point que je m'en trouve paralysé et aussi fixe et dur que la porte en face de moi.

« Et qu'on ne me fasse pas dire ce que je dis pas. Je suis pas en train de le blâmer. Je fais pas de reproches. Moi j'ai vécu assez longtemps pour savoir que des pensées comme ça elles traversent la tête de tout le monde. Que quelqu'un essaye de me dire qu'il a jamais réfléchi de cette manière-là, je le traiterai de menteur. À moi aussi ça m'arrive de me souvenir. De me poser dans un coin au calme exprès pour me souvenir d'anciens amis que j'ai fréquentés. Je me mets dans un coin toute seule et je pense à eux et je pense : T'as pas à te plaindre ma vieille. Je me dis Au fond c'est les gens que j'ai le plus voulu fuir et le plus détester à qui je pense le plus. C'est comme ça. Alors je veux bien croire que c'est pareil pour tout le monde. On se dit C'est bon, Je suis plus comme eux. Je vais dans la bonne direction, c'est bon, continue. Bref, il marchait. »

Je ne lui avais pas donné plus de détails sur le dîner, tout simplement parce que je n'en avais que des souvenirs fragmentaires. Je nous voyais, Geoffroy et moi, avancer au milieu des éclairages de Noël dans la rue, les ampoules rouges et bleues au-dessus de nos têtes, la pointe des oreilles endolorie par le vent. Nous étions encerclés par des individus chargés de sacs, je ne voyais plus que les sacs qui remplaçaient les corps, la progression sur le trottoir était laborieuse, difficile, je n'entendais pas de voix mais que des échos, des lambeaux, et j'aimais cette foule en mouvement, je marchais sur les pieds des passants à cause de ma démarche maladroite et on riait. Puis, image suivante : nous nous faufilons, nous nous hissons dans un magasin où il fait trop chaud pour acheter des tartes. La chaleur à l'intérieur du magasin semblait se déposer sur nos joues comme une seconde peau brûlante, sous laquelle la peau froide restait froide. Puis, image suivante : Didier est là, soudain nous sommes à trois. Nous sommes assis. C'est environ une heure après la scène de la rue. J'ouvre une bouteille de vin. Quand Didier entend le bruit de l'extraction du bouchon de liège, il dit en riant : « On m'appelle ! », l'expression que je lui ai apprise, et je ris aussi, les rires se dispersent, Geoffroy sert des parts de tarte aux légumes. Nous commençons à manger. Puis je suis debout, le dîner est presque fini, je regarde les miettes dispersées dans les assiettes vides, Didier me tend un des livres qu'il m'offre, je suis bouleversé, je lis les premiers mots à voix haute : « lourde tout entière vêtue de noir la tête couverte d'un fichu noir elle traversa la plage déserte arrivée près du bord elle s'assit ». Geoffroy me demande de lire plus longtemps, il m'encourage, il me dit que je lis bien. Je ne me rappelle pas si oui ou non j'ai prolongé la lecture. Puis le livre a disparu de mon champ de vision, je ne sais pas où il est, je regarde l'écran d'ordinateur, l'ordinateur est allumé et diffuse des chansons, des airs d'opéra, je ne sais plus ce que c'était, peut-être Massenet, la mort de Werther, puis autre chose, puis autre chose encore, et soudain nous mangeons le dessert, nous avons chacun un verre à la main et nous chantons, nous chantons, nous connaissons les airs par cœur. Nous ne sommes plus dans la même pièce qu'au début de la soirée, maintenant nous sommes adossés à des oreillers, dans la chambre. Puis enfin, deux heures plus tard, le vent file dans mes oreilles, les arbres défilent autour de moi, les lampadaires traversent mes yeux, les rues sont vides. Je gare mon vélo à l'autre extrémité de la place de la République pour marcher.

Quatre

La place de la République était en travaux et le
sol était couvert de boue ; ou plutôt le sol était cette
boue, il n'y avait rien d'autre, les routes avaient été
détruites en attendant que les ouvriers y coulent du
ciment et y posent les nouvelles dalles de béton
pour la piétonisation de la place, et tous les jours je
me salissais en la traversant, je rentrais chez moi
avec de la terre sableuse sur le bas de mon pantalon. Ce n'était pas la boue marron presque rousse
que j'avais connue pendant mon enfance à la campagne, cette boue qui dégage une odeur de terre
fraîche, luisante comme de l'argile et qu'on s'étale-
rait volontiers sur le visage tant elle semblait saine,
bienfaitrice, mais cette boue grise, austère et grume-
leuse caractéristique des chantiers des villes.

Sur la place il y avait les grues, immenses et
squelettiques, au repos, les tôles d'acier vertes, partout, pour barrer l'accès à la partie de la place en
travaux, les tôles d'acier dès les premiers jours
tapissées d'affiches politiques – je vois encore celle-
ci : « Nous ne payerons pas leur crise, renversons
le capitalisme » –, de publicités, d'annonces de

spectacles, posées là pour établir la frontière entre les espaces déjà en travaux et ceux qui ne le seraient que plus tard.

Donc : le jour de Noël, je marche dans l'obscurité, je traverse la place de la République, chaotique, les chaussures couvertes de boue et les petites éclaboussures grisâtres, des gouttelettes sur le bas de mon pantalon, laissant penser qu'une pluie sale tombait non pas du ciel mais du sol, Nietzsche et Simon sous le bras.

J'ai entendu tout à coup un bruit derrière moi.

Mais je n'ai pas réagi. J'ai continué de marcher. Et je ne me suis pas retourné. Je ne m'impose pas de ne pas me retourner mais je ne le fais pas. La cadence des bruits derrière moi devient plus resserrée, plus rapprochée, plus rapide, j'avais une parfaite conscience de ce rapprochement des bruits mais je ne les constituais pas comme un phénomène qui me concernait et ce n'est que quand il a atteint ma hauteur que j'ai compris que c'étaient ses pas qui s'approchaient, accéléraient, couraient vers moi. Il a prononcé la première phrase : « Ça va ? Tu fais pas Noël ? »

Reda souriait. Il s'était arrêté à ma droite et il marchait, essoufflé. Je ne voyais que la moitié de son sourire et la moitié de son visage, l'autre moitié était dans l'ombre, happée, absorbée par la nuit. Il m'a demandé une deuxième fois pourquoi je ne fêtais pas Noël, pourquoi j'étais dans la rue à cette heure-là – et j'ai dit à Clara que j'avais aimé le bruit de sa respiration, que j'avais eu envie de prendre son souffle entre mes doigts et de l'étaler sur mon visage. Pourtant je ne répondais pas à son sourire.

Je ne réponds pas, je marche tête baissée et j'évite de regarder son demi-visage, je veux lire les premières pages des livres que Didier et Geoffroy viennent de m'offrir, c'était aussi simple que ça. J'ordonnais à mes jambes de marcher plus vite. Je me taisais. J'étais bouleversé par sa beauté – Clara m'a dit : « Aimer une respiration, il faut le faire quand même. »

Mais j'avais décidé de rentrer et dormir, malgré sa beauté, malgré son souffle. Je me concentrais sur les livres que je tenais dans la main droite pour résister. Je savais que je n'allais pas tenir longtemps. Ça a marché le temps de quelques mètres, je réussissais à l'ignorer mais mon épaule effleurait la sienne, ses pas éclaboussaient mon pantalon de la boue grise ; et je ne disais rien *(Nietzsche Simon Nietzsche Simon)*. Il m'a demandé : « Alors tu veux pas me parler ? »

Je convoquais mes souvenirs pour les deux agents de police, une femme et un homme, tous les deux postés face à moi, lui, assis devant l'ordinateur, et elle, debout, à côté de lui. C'était moins de vingt-quatre heures après la rencontre avec Reda.

L'interrogatoire venait juste de commencer, je ne savais encore rien de la suite. Je ne me doutais pas encore de l'intensité avec laquelle j'allais me détester d'être venu jusqu'au commissariat.

De toute façon même les regrets ne pouvaient plus me sauver. Je l'ai compris quand, à cause de la fatigue et de la tournure que prenait la nuit j'avais dit aux deux agents de police que je regrettais et que je voulais tout interrompre, rentrer chez moi. Le policier avait ricané. Son rire n'était pas malveillant, c'était plutôt cette espèce de rire qu'on oppose à un enfant qui dit une aberration. Il s'était calmé, s'était éclairci la gorge et avait déclaré : « Mais ça ne dépend plus de vous monsieur, je suis désolé. C'est à la justice maintenant que ça appartient. » Je ne comprenais pas ce soir-là comment mon récit pouvait ne plus m'appartenir (c'est-à-dire qu'à la fois j'étais exclu de ma propre histoire et que j'y étais inclus de force puisqu'on me forçait d'en parler, continuellement, c'est-à-dire que l'inclusion est la condition de l'exclusion, qu'elles sont une seule et même chose, et que même, peut-être, l'exclusion précède l'inclusion, du moins que l'exclusion me révélait à elle seule, et la première dans l'ordre de ma conscience, le destin dans lequel j'étais inclus, l'histoire de laquelle je n'avais plus le droit de m'extraire).

Au contraire à mon arrivée j'étais soulagé de pouvoir m'exprimer. Les deux policiers m'avaient accueilli avec compassion, pour ne pas dire avec tendresse ; régulièrement je perdais le fil du récit, je parlais au hasard, je formulais des phrases qui n'avaient pas de sens dans ce contexte, je me ridiculisais, je faisais de grandes phrases stupides, je revenais sans cesse sur la même chose, le même moment de la nuit que je redisais avec d'autres mots, avec d'autres intonations, comme pour essayer d'en atteindre la vérité : « Ça devait être une drôle d'image vu de l'extérieur, j'imagine, lui, Reda, qui était debout, figé, qui devait donner l'impression que ses jambes étaient soudées au sol et consolidées, dans leur immobilité, par des tiges d'acier enfoncées à des mètres sous terre et moi face à lui, assis pendant qu'il m'étranglait avec son écharpe, que la laine de l'écharpe grinçait en serrant mon cou avec ce grincement de la laine qui me fait mal aux dents, sans autre possibilité que de rester dans cette position assise et m'agitant comme un ver de terre pris au piège sous une chaussure, je me tordais dans tous les sens, je me tordais, je me contorsionnais. » Le policier en face de moi me regardait parler. Il n'écoutait pas, il regardait parler. Il avait suspendu ses doigts au-dessus du clavier d'ordinateur, celui sur lequel il prenait la déposition. Il faisait de longues pauses. À ce moment-là j'ai su que son pouvoir était avant tout un pouvoir sur le temps ; il pouvait faire durer l'entretien, y mettre fin, laisser stagner et s'immobiliser les silences, me faire parler, me faire accélérer, tout à coup, sans que je sache ou comprenne, me faire décélérer. Il m'avait demandé de lui rapporter les faits – il avait dit : dans leur totalité, sans rien omettre ; chaque minute, chaque interaction, chaque phrase que Reda avait pu me dire, même la plus insignifiante à mes yeux, servirait à le retrouver et à l'arrêter (et c'était justement, il précisait, dans les détails au premier regard insignifiants que la plupart du temps se nichaient les indices les plus déterminants pour l'enquête, c'est-à-dire dans les informations qu'un regard non accoutumé et non spécialiste assignait au rien, à l'inexistence, au néant).

Il avait posé cette question : « Et vous avez fait monter un inconnu comme ça, chez vous, en pleine nuit ? » J'avais répondu : « Vous savez tout le monde fait ça… » et lui avait renchéri : « Tout le monde ? » d'un air ironique, moqueur, sarcastique. Ce n'était pas une question. Il ne me demandait évidemment pas si tout le monde se comportait ou non comme ça mais il me faisait comprendre que personne ne le faisait. En tout cas pas tout le monde. Et enfin, ma réponse : « Je voulais dire, les gens comme moi… » Il s'apprêtait à dire autre chose : « Non mais, je ne suis pas cert… » Et soudain : « Arrêtez ! » La femme dressée près de lui a demandé à son collègue qui pianotait sur l'ordinateur de s'interrompre. Elle nous a fait sursauter. Elle avait dit *Arrêtez* d'une façon brusque, agressive, et pourtant amusée, à croire que la situation prenait une telle tournure que désemparée et exténuée à cette heure de la nuit, rendue presque folle par la lumière criarde et violente des néons, l'odeur des produits ménagers et le vrombissement des ordinateurs, elle ne pouvait rien faire d'autre que prendre les choses avec dérision, ses cheveux ébouriffés, ses cernes noirs et profonds.

Elle nous a dit de reprendre ; on ne pouvait pas commencer comme ça, *de façon complètement anarchique* – je me souviens aussi de la grimace qu'elle a faite en prononçant *anarchique*. Il fallait tout reprendre. « Dans l'ordre. »

Je garde les yeux braqués sur la porte pour maintenir ma concentration et pour ne pas être repéré. J'en étudie les bifurcations et les striures marron qui cheminent sur le beige du bois. Je cherche comment les striures parviennent à s'échapper de la porte, à partir du centre jusqu'aux extrémités où elles disparaissent.

Clara dit à son mari que Reda m'avait demandé si j'allais finir par lui parler. Je ne disais rien mais il est clair que mon silence résonnait comme l'aveu de mon incapacité à dire non. J'entendais son sourire qui modifiait la tonalité de sa voix mais je ne tournais pas encore la tête vers lui, sinon furtivement, le plus discrètement possible, je continuais à fuir, et je pensais : *Nietzsche, Simon, Nietzsche, Simon, Nietzsche, Simon.* J'ai cédé, une dizaine de mètres plus loin.

« Il a cédé, il lui a parlé. » Je me faisais croire que je lui répondais pour qu'il me laisse tranquille, pour qu'il me laisse seul mais je savais que ce que je dirais, peu importe ce que je dirais, allait au contraire engager la conversation.

« Il lui a répondu qu'il rentrait de son repas de Noël, et qu'il avait besoin de se reposer. » Et mon refus a fonctionné. Il a insisté, exactement comme je l'avais prévu, exactement comme je l'avais voulu : « Je m'appelle Reda, tu veux pas qu'on fasse un peu connaissance ? Juste prendre un petit verre ou se rouler un petit joint quelque part ? par ex… » Je lui dis que je ne prends pas de drogue. Il n'abandonne pas, il s'accroche : « Alors juste comme ça pour parler… Tu t'appelles comment ? »

Je m'étais appliqué à être le plus ordonné possible en décrivant l'interaction à la police depuis le rappel à l'ordre, mais lui, l'homme assis au bureau, m'interrompait, il m'interrompait sans cesse : « Mais vous êtes sûr qu'il avait un pistolet ? Parce que ça change beaucoup à l'affaire, vous s… » Je regardais sa collègue pour qu'elle m'aide. J'implorais son aide. Elle n'est pas intervenue immédiatement, et lui continuait : « Et puis un viol c'est quand même quelque chose, c'est parfois pire que la mort. »

Je l'écoute.

« Là, Reda, il propose de prendre un verre dans l'appartement d'Édouard pour faire connaissance. Il se doutait bien qu'Édouard il habitait dans le quartier, il était pas idiot. Il a dû sentir ça tout de suite à la manière qu'il avait de marcher. T'en fais pas que des garçons comme ça ils savent y faire, et comme Édouard il reste à rien dire, l'autre il rame pour se rattraper de ce qu'il avait dit avant en promettant qu'il sortirait pas de drogue devant lui. »

« Il lui dit : Je garde la drogue dans ma poche si t'aimes pas, je la sors pas, j'ai pas l'intention de t'obliger. Il disait comme ça qu'ils pourraient boire tous les deux ensemble quelques bières, mais pas plus. Juste deux ou trois bières chacun. Et il resterait pas longtemps, et Édouard il répondait qu'il détestait la bière. Alors moi je pensais Il était rudement patient l'autre. Moi à sa place j'aurais pas continué à suivre une lurlure comme ça qui dit non à tout. Et ça déjà c'était pas logique. La patience. Qu'il reste aussi patient. »

Je persévérais à dire non et lui continuait à marcher à mes côtés, sans perdre son sourire, sans perdre de son énergie ni de sa volonté ; peut-être qu'il avait décelé la faille dans ma voix et dans mon regard fuyant, ce rien qu'il fallait pour me faire dire oui, ce geste microscopique qu'il aurait fallu pour me faire capituler, basculer, avouer que, depuis qu'il m'avait accosté sur la place, l'envie de lui répondre me pressait, que rien ne me faisait plus envie que de le faire entrer chez moi, de poser ma main sur lui, et que j'essayais difficilement, laborieusement, de faire taire cette envie. Je me rappelle qu'à cause de la température et du vent glacial, assez fort, tellement fort que mes yeux coulaient sans interruption et que j'avais abandonné l'idée de les sécher, il reniflait en me parlant, ses phrases étaient entrecoupées de reniflements bruyants et j'entendais résonner ses cavités nasales. Il se cachait un peu pour essuyer ses narines avec ses doigts qu'il frottait ensuite sur son pantalon, laissant dessus des traînées brillantes. Ça ne me dérangeait pas. En temps normal j'aurais été écœuré par des choses comme celles-là. Mais pas ce soir-là, pas avec lui.

« Là où je veux en venir c'est qu'il y avait aucune méfiance. Il se méfiait pas Édouard parce que l'autre il avait pas du tout l'air de vouloir lui chercher des histoires. Il était tranquille, avenant comme on dit. Mais comme il voulait rentrer il restait aimable comme une porte de prison. Il se répétait : Je dois rentrer et lire, je dois rentrer et lire. »

Elle reprend une gorgée d'eau.

« Alors finalement il pose la question, il tend la main vers Édouard et il demande ce qu'il a dans la sienne, et Édouard, qu'est-ce qu'il lui répond ? Des livres, juste des livres, et Reda il lui dit que ça a l'air intéressant, et moi j'ai fait à Édouard : Ah tu remarqueras que quand tu expliques quelque chose à quelqu'un ou que tu lui décris ce que tu fais dans la vie on te répond toujours que c'est intéressant, les gens ils n'ont que ce mot à la bouche, que ça, tout le temps, c'est intéressant, mais en général il y a pas de deuxième question. Bizarre. Après t'as le droit au silence. Rien. Si t'as envie d'en dire un peu plus sur toi ou de raconter ta vie tu peux toujours te gratter.

« Alors je dis comme ça à Édouard : Et c'est pareil pour toi tu sais. Il bronchait pas pendant qu'il m'écoutait lui dire. Il bougeait plus. Je dis pas ça contre toi que je lui fais, c'est pas pour être méchante que je te dis ça mais quand ils te disent à toi que ce que tu fais c'est intéressant ils mentent. Ils mentent autant qu'à moi et ils mentent autant qu'à tous les autres. Il y a pas de différences dans ces choses-là, aucune, parce que toutes les vies elles se valent, et alors ta petite vie elle intéresse pas plus l'humanité qu'une autre vie, faut pas rêver. Les gens ils croient sans arrêt que leur vie elle est plus passionnante que celle des autres, et ils savent que tout le monde le pense mais ils se disent que les autres s'trompent, mais non. J'y peux rien, c'est la réalité, et vivre à

Paris ou faire de la philosophie ou j'en passe, ça n'y change rien *(c'est faux, elle ne m'a pas dit ça. Elle l'a sûrement pensé quand elle me parlait mais elle ne me l'a pas dit).*

« Parce qu'on en met de l'énergie à se mentir. »

Son mari ne produit aucun mot articulé. Il se contente de lui manifester son écoute par quelques « hum, hum » qui me parviennent de l'autre côté de la porte, dispersés au hasard entre ses phrases à elle, ou lorsqu'elle lui pose directement une question.

« C'est étrange, je lui dis. Parce que les mensonges si tu regardes bien personne y croit mais tout le monde continue à les répéter, alors que personne n'y croit. Et toi-même ne te fais pas plus bête que tu l'es déjà. C'est pas la peine. Tu devais bien voir que Reda il te mentait.

« C'est exactement ce qui arrive avec la voisine Océane quand je vais chez elle. C'est vrai qu'elle est un peu vilaine, bon, je dis pas ça pour critiquer je l'adore c'est pas pour ça que je dis ça mais il faut bien dire qu'en plus de ça elle est pas maigre. Pis elle en souffre la malheureuse. Elle le paye. Elle en souffre parce que tout le monde la repousse, je veux dire les garçons. Ils veulent pas d'elle. Il n'y a personne qui veut d'elle résultat des courses elle avait dix-huit ou dix-neuf ans qu'elle avait toujours pas vu le loup, ils la rejetaient les garçons d'ici. Tu sais comme ils sont bêtes, quand on passait devant eux avec Océane et qu'ils étaient en groupe à l'arrêt de car ou quoi, à se la mettre, ils lui disaient : Océane elle a un cul comme deux culs qu'on en dirait trois culs, ils lui disaient qu'elle est plus facile à rouler

qu'à porter, tout ça. Tu vois le genre de méchance-
tés. Qu'ils sont stupides. Vulgaires. J'ai vu ça aussi
avec le temps, les garçons si tu les prends tout seuls
ils peuvent être gentils mais dès qu'ils sont à plusieurs ils changent, les hommes ils deviennent bêtes
quand ils sont à plusieurs. Et tu les reconnais plus.

« Nous le mercredi après-midi, c'est devenu une
habitude, on se retrouve entre filles chez Océane
pour jouer aux cartes et on joue à la crapette. Même
à trois, en faisant des équipes. Ou au tarot. Et alors à
chaque fois on sait qu'il y aura le temps venu où
Océane elle le dira, elle dira qu'elle est malheureuse,
alors forcément le temps arrive et pis elle le dit,
parce qu'elle dit qu'elle est malheureuse d'avoir un
corps comme ça, bien sûr elle ne dit ça qu'à nous, tu
te doutes, elle peut le dire qu'à nous, parce qu'on se
soutient, on se serre les coudes entre copines, bon,
et moi je lui réponds : Oh mais non Océane t'es
belle commence pas à écouter les garçons tu sais
bien que les garçons ils sont toujours bêtes à bouffer
du foin, ça n'a jamais changé ça changera pas. Et en
le disant, c'est bizarre, je sais que je mens – pas sur
les garçons qui sont bêtes, sur son corps. Et Océane
elle sait que je lui mens et je ressens comme de la
glace qui traverse mon corps à cause de ce que je
crois pas à ce que je raconte, et Vanessa qui est
souvent avec nous elle en rajoute une couche, elle
secoue sa tête et pis elle dit Oui t'es belle Océane,
c'est ton genre de beauté à toi, c'est tout, faut pas se
comparer aux filles dans les magazines tu sais, si tu
les prends au réveil pas maquillées pas coiffées ni
rien c'est des laideronnes, elles sont belles parce

qu'elles se versent des pots de peinture sur le visage au matin. Mais toi t'es belle comme t'es, naturelle. C'est ça le plus essentiel c'est d'avoir une beauté naturelle. Et personne y croit. Aucune de nous trois, mais on se le fait croire et toutes on se rassure par le mensonge de l'autre, on espère que le mensonge de la voisine il sera un peu moins faux, donc bref, je suis certaine qu'Édouard, il savait que l'autre il mentait *(mais même si Reda n'avait pas trouvé inté-ressant ce que je lui disais, je déplaçais l'enjeu de la vérité, c'était un autre type de vérité qui retenait mon attention, c'était la vérité de la forme qui m'intéressait et pas le contenu, la vérité n'était pas de savoir si oui ou non il trouvait le contenu de ce que je disais intéressant mais si son désir de me plaire était vrai, même s'il était prêt à mentir pour ça).*

« Il posait d'autres questions, oh, les questions qu'on pose, rien de bien original, ce que tout le monde demande, depuis combien de temps t'habites à Paris, qu'est-ce que tu veux faire plus tard. Et Édouard il pensait encore : Je dois me coucher, je dois me coucher. Mais il m'a dit que c'était comme si sa phrase, elle avait de moins en moins de sens. Un peu comme si elle perdait un peu de son sens à chaque pas qu'ils faisaient ensemble tous les deux. C'est là que l'autre a voulu savoir si Édouard il avait des origines anglaises ou allemandes, il dit : Je me tâte, et Édouard lui répond : Malheureusement ni l'un ni l'autre. Il dit en riant la phrase de notre père qu'il disait à propos de la famille. Comme disait mon père français pure souche, sans mélange, parents français, grands-parents français, arrière-grands-parents français, arrière-arrière-grands-parents français, arrière-arrière-arrière-grands-parents français. Et cette fois la phrase a vraiment amusé le type, il s'est marré de la phrase de notre père. »

Cinq

Il m'a dit qu'il était kabyle et que son père était arrivé en France au début des années soixante. C'était une vingtaine d'années avant la naissance de Reda qui devait avoir un peu plus de trente ans quand on s'est rencontrés. Son père avait été contraint d'aller vivre dans un foyer pour les émigrés de la banlieue nord de Paris, je ne sais plus dans quelle ville exactement, avec quelques vêtements sur lui et une poignée d'objets bourrés dans une petite valise, non pas parce qu'il n'avait rien, même s'il n'avait pas grand-chose, mais parce qu'il était interdit de s'installer avec plus d'affaires, comme si à la pauvreté s'ajoutait une sorte d'exigence de paraître-pauvre. Reda a commencé à me dire tout ça en bas de chez moi mais c'est plus tard, quand on était tous les deux allongés sur mon lit et que je le suppliais de m'en dire plus sur lui, sur sa vie, qu'il m'a raconté la suite. Il avait la tête posée sur mon torse et il parlait. Je l'écoutais. Je passais mes doigts sur sa peau et je l'écoutais. Son père a parcouru la Kabylie pour s'enfuir. Il a marché plusieurs jours de suite, seul. Il n'a pas voulu partir avec les autres. Il a traversé des espaces désertiques, dormi sur le sable et sur la terre, caché dans les maquis.

J'ai dit à Clara qu'il devait être un homme qui avait toujours vécu avec le fantasme de partir, de fuir. Son père. C'est un fantasme banal mais il y a bien des sortes de banalités qui émancipent, c'est vrai. Je lui ai dit qu'il avait peut-être voulu aller là où il n'avait ni amis, ni famille, ni passé, c'est ce que j'ai pensé quand je suis parti pour la ville la première fois alors je ne dois pas être le seul, je ne peux pas être le seul, et bien sûr je sais que c'était naïf, que j'étais naïf, mais je sais aussi, depuis, que la naïveté est une condition de la fuite. Que sans naïveté on ne fuit pas. Clara écoutait mes spéculations, elle en ajoutait aux miennes. Il avait dû penser qu'en partant il pourrait se défaire de son passé, je lui ai dit, que sans passé, sans histoire et donc sans honte, il aurait pu prendre toutes les allures et toutes les poses qu'on veut prendre secrètement mais qu'on réprime, s'accorder toutes les folies auxquelles on rêve en silence mais qu'on écrase, changer la couleur de ses cheveux, marcher autrement, rire autrement, tatouer sa peau, toutes les folies qu'on renvoie au silence par peur des rappels à l'ordre : « Pour qui tu te prends, à quoi tu joues, quel rôle tu joues, ce n'est pas toi, on ne te reconnaît plus. » Et donc, même dans les choses les plus triviales. Les façons de parler, de s'habiller, de se présenter. Reda disait que son père était venu pour gagner de l'argent mais ça ne contredit rien.

Et il partait aussi pour sauver le passé. Il avait dû voir dans sa fuite une occasion, pas seulement d'aider le fils qu'il aurait et qu'il avait prévu d'avoir, non pas tellement de changer sa situation présente, à lui, le père de Reda, parce qu'il était trop tard pour lui, il se disait, « il est trop tard », mais il devait s'agir aussi de pouvoir réinventer – moins son présent, puisqu'il était trop tard, que son passé. D'utiliser l'après pour donner un sens à l'avant, de contempler la réussite de son fils comme dans un dernier geste désespéré pour y voir le résultat de toute sa propre vie et, par là, se faire croire que tout ce qu'il avait fait, vécu, traversé, subi, ne l'avait pas été pour rien, et que tout avait été fait dans ce but, que tout avait eu un sens et un sens voulu, désiré, recherché, calculé, que rien n'avait été perdu, que toutes ses souffrances et ses échecs passés étaient des investissements et des sacrifices consentis pour le futur. Le passé est la seule chose qu'on puisse changer et je suis sûr qu'il avait moins peur de l'avenir que de son passé.

Quand son père est arrivé il tenait dans la main le plan qui indiquait le foyer. Il l'avait admiré pendant des semaines avant d'y parvenir enfin, à croire que chaque lettre aurait pu prendre vie et se matérialiser devant lui, s'animer, qu'en le regardant avec insistance, ce plan, il aurait pu découvrir la vérité cachée, dissimulée, la vérité pour l'instant muette de ce qu'il s'apprêtait à vivre. Il hésitait à faire le chemin en sens inverse. Didier m'a dit un jour : « On obtient ce qu'on a tant voulu et au moment même où on l'obtient on ne pense plus qu'à se défiler. » Il était à la porte du foyer et il n'osait pas, il ne se décidait pas, il ne bougeait pas, il pensait : *Maintenant il faut sonner*. Il ne sonnait pas. Peut-être qu'il pleuvait et qu'il souriait et qu'une esquisse de sourire inondée par la pluie roulant sur son visage rendait sa joie plus évidente, puisqu'on associe volontiers la pluie à la morosité et qu'un sourire sous la pluie ne peut que décupler le contraste et décupler la signification, le sens du sourire. Il serait devant le foyer. Je l'imagine marchant de droite à gauche devant le grand immeuble, une longue scène d'hésitation pendant laquelle il se déplaçait d'un coin à l'autre de l'image, et les balayeurs de l'autre côté de la route dans leur combinaison fluorescente qui riaient, qui s'esclaffaient en le voyant comme ça.

Et puis Reda m'avait dit que son père lui avait raconté qu'après ce temps d'hésitation, il l'avait fait, il avait sonné. Alors la porte s'était ouverte. Mais personne n'apparaissait. Le rai de lumière sur le carrelage avait grossi, il s'était déformé, s'était élargi avec la lumière du soleil qui s'engouffrait, et je le vois de dos, le père de Reda, la nuque aussi puissante que celle de son fils, aussi belle et puissante que celle de Reda, j'imagine le mouvement de cette porte qui s'écarte avec une lenteur presque agaçante. Et donc personne n'apparaissait, aucune présence. Juste l'obscurité. Il s'était demandé après quelques secondes de cette obscurité si quelqu'un était en train de l'ouvrir ou si finalement ce n'était pas un coup de vent idiot qui la déplaçait, seulement le vent, ou si ce n'était pas lui qui l'avait ouverte dans sa nervosité, par accident. Mais il ne bougeait pas. Il y a des gens qui dans la peur ne peuvent pas faire un geste. Et dans l'embrasure de la porte s'était détachée de plus en plus nette la gueule de cet homme, le directeur du foyer, les traits du visage petit à petit visibles, son nez tordu comme un bec d'oiseau, ses sourcils broussailleux, il était peut-être un peu ivre, je ne sais pas, Reda ne m'a pas dit, peut-être qu'en le voyant apparaître et ouvrir la bouche pour s'exprimer, le père de Reda sent le souffle tiède du whisky recouvrir son visage, peut-être qu'il est tout à fait le contraire, mais ça ne changerait rien, un homme qui ne boit jamais, comme il dirait : jamais une goutte d'alcool, profondément dégoûté par les boissons alcoolisées et la cigarette, toujours trop propre, dégageant toujours autour de lui une odeur de savon de Marseille et de gomina, aussi insupportable que celle du whisky, qui vous prend à l'estomac et vous donne la nausée. Son père lui avait beaucoup parlé du directeur du foyer mais à moi, Reda n'en avait pas dit beaucoup plus à part que c'était un ancien militaire, et j'ai su plus tard en faisant quelques recherches que la plupart des directeurs de ces foyers conçus pour enfermer les émigrés étaient des militaires. On pensait qu'ils seraient plus compétents pour maintenir l'ordre et qu'ils connaîtraient mieux la personnalité des émigrés, puisqu'une partie d'entre eux avaient fait la guerre dans les anciennes colonies.

Il m'avait dit, aussi, que le directeur traitait son père un peu mieux que les autres, et surtout mieux que les Arabes, puisqu'il était kabyle et que le directeur croyait que les Kabyles étaient plus respectables, qu'ils étaient plus courageux et même plus propres que les Arabes – et sûrement son père partageait ce point de vue, en tout cas Reda le partageait et je suppose qu'il tenait ça de son père. Ce n'est pas certain. Mais ce soir-là quand on marchait dans la rue il m'avait dit qu'il n'aimait pas les Arabes, je ne sais plus quelle insulte il avait utilisée, je ne me rappelle plus le mot qu'il avait employé, seulement la violence qu'il portait en lui ; j'avais fait comme si je n'avais pas entendu, bien sûr je ne pouvais pas encore penser ce que j'ai pensé quelques jours plus tard, je veux dire que tout compte fait Reda parlait des Arabes de la même manière que les policiers (quand un ami m'a dit quelques mois après que Reda, au fond, était raciste lui aussi, raciste comme les policiers, mais pour des raisons différentes, je lui en ai voulu, je lui en ai voulu et je l'ai méprisé, je ne pouvais pas entendre quelqu'un insulter Reda, j'ai eu envie de protéger Reda de cet ami ; si quelqu'un devait dire du mal de lui je voulais être le seul à pouvoir le faire, le seul à en avoir le droit, puisque Reda avait une dette envers moi). Ce soir-là j'ignorais tout ce qui aurait pu me déplaire chez Reda, sans d'ailleurs le faire très consciemment, ce n'est qu'aujourd'hui que je comprends jusqu'à quel degré je sectionnais la réalité pour ne garder de lui que ce que j'aimais.

Quand il m'a dit que son père lui avait souvent parlé du directeur comme d'un homme violent et tyrannique, tout de suite je me suis représenté ce directeur : les images d'Ordive me sont venues à la tête, je ne contrôle pas le flux des souvenirs qui réapparaissent quand on me parle, ils me traversent, ils me cisèlent et ce n'est qu'à partir d'eux que je trouve prise sur le présent, et j'ai donc pensé à Ordive pendant que j'écoutais Reda, cette femme que j'ai vue pour la dernière fois il y a une dizaine d'années, et j'étais sûr que le directeur du foyer du père de Reda lui ressemblait. C'était une femme assez âgée. Elle habitait seule, c'était une de ces femmes sombres et isolées qu'on trouve toujours plus ou moins dans les petits villages, toujours plus ou moins associées à la figure de la sorcière, on la voyait se promener dans les rues silencieuses, les rues presque toujours légèrement embrumées – le Nord ; elle faisait des allers-retours pour se rendre on ne savait pas trop où, peut-être sans but, perchée sur son vélo orange criard, trop grand pour elle. Elle était détestée et sur ce point-là elle mettait tout le monde d'accord. Il y avait beaucoup d'histoires et de rumeurs qui circulaient sur son cas et qui survivaient, d'année en année, beaucoup, c'étaient des histoires qui semblaient ne jamais pouvoir s'estomper et qui semblaient ne jamais pouvoir être oubliées et ce quelle que soit l'énergie qu'elle mobilisait pour les ensevelir sous son silence. Je crois que les gens sentaient que son silence avait quelque chose d'artificiel, que ce n'était pas qu'elle ne disait rien mais qu'elle faisait tout pour ne rien dire, ce qui change tout, et tout le monde savait que ces histoires étaient fausses mais tous les habitants du village continuaient de les relayer. Ceux qui les disaient savaient que c'était faux et ceux qui écoutaient pour les répandre ensuite savaient que c'était faux mais ils les disaient quand même. Et le mensonge collectif enflait, gonflait. Après des années à le répéter je ne sais pas si les gens avaient conscience que tout ça était le fruit d'une hallucination gigantesque ou s'ils avaient fini par adhérer à leur mensonge, qu'ils en avaient oublié les origines.

Il y en avait deux qui étaient répétées plus souvent que les autres ; la première, c'était qu'elle aurait couché avec des Allemands pendant la guerre, et qu'elle en aurait profité pour s'enrichir ; j'entendais régulièrement : « Celle-là elle s'en est mis plein les poches en batifolant avec les boches. »

La deuxième était qu'elle était en partie responsable de la mort de sa petite-fille, morte d'une maladie foudroyante à l'âge où elle allait encore à l'école maternelle. C'était un sujet de conversation qui émergeait sans cesse, comme un automatisme qui n'avait pas besoin de la volonté d'être dit pour être dit, et qui revenait au cours des parties de cartes ou de pétanque l'été, sur le terrain municipal de terre rouge, aussi mécaniquement que les conversations sur la météo. La gamine se plaignait de douleurs à la tête et la fille d'Ordive, la mère de l'enfant, allait chez le médecin, et le médecin disait que ce n'était pas grave, « rien d'alarmant », juste des migraines, « c'est normal à cet âge avec l'activité qu'ils ont, on les tient plus de nos jours », et la gamine avait encore mal, elle pleurait de ses douleurs, elle s'en plaignait à l'école, alors la fille d'Ordive y retournait, chez le médecin, et le médecin prescrivait du paracétamol. Elle en a pris pendant huit ou dix mois. Puis un jour on a compris que ce n'étaient pas des migraines mais un cancer. La nouvelle s'est propagée comme une traînée de poudre, chaque nouvelle personne qui *savait* en avisait trois autres qui en avisaient trois autres et ainsi de suite et en moins d'un après-midi tout le monde avait été mis au courant. Pendant que la maladie grandissait elle n'avait fait que prendre du Doliprane et les cellules malades avaient proliféré, il était trop tard, on ne pouvait plus la soigner. L'enfant a encore vécu un mois ou deux, pas plus. La mort prochaine pendant ce mois ou deux était suspendue aux lèvres de tous, les pronostics fusaient, toujours prononcés avec une forme de fausse retenue. Et un jour c'est arrivé.

Pendant des mois on a parlé du petit cercueil, de l'horreur de ce spectacle survenu trop rapidement, comme on l'avait prédit, un cercueil blanc presque aussi minuscule qu'une boîte à chaussures sur la place de l'église, et alors plus personne n'osait dire de mal d'Ordive, on la plaignait : « Pauvre femme elle méritait quand même pas ça », on se lamentait sur elle et pour elle, on lui offrait de petits cadeaux pour lui montrer qu'elle était soutenue, qu'elle n'était pas seule, généralement des fleurs et des chocolats. Il y avait même eu des quêtes organisées, certains avaient décidé de faire des quêtes pour l'aider à payer l'enterrement, et la haine s'était déplacée sur d'autres personnes, à croire que c'est un sentiment qui ne peut par nature jamais disparaître mais seulement passer d'un corps à l'autre, se transférer d'un groupe à l'autre, d'une communauté à l'autre, j'avais dit à Didier, que la haine n'a pas besoin d'individus particuliers pour exister mais uniquement de foyers pour se réincarner. Et puis, comme si c'était plus fort que tout, on a plaint de moins en moins Ordive et sa fille, pendant un court temps, un ou deux mois à peine, plus personne n'en a parlé, plus rien, et des voix ont commencé à souffler que la fille d'Ordive était en partie responsable, on disait qu'on ne l'avait pas compris immédiatement mais que de nouvelles informations avaient fuité, que le temps avait accompli son œuvre et que nous savions maintenant que la mère était responsable et la grand-mère Ordive aussi, indirectement, qu'elles n'étaient pas tout à fait hors de cause puisqu'elles avaient été, selon ce qu'on entendait, négligentes, on disait qu'elles n'avaient pas pris assez de précautions, qu'elles auraient pu sauver l'enfant, tout le monde savait que c'était faux et qu'elles n'y étaient pour rien mais tout le monde continuait à relayer ce procès, ceux qui le disaient savaient que c'était faux et ceux qui écoutaient pour le répandre ensuite savaient que c'était faux mais ils le disaient quand même, et le mensonge collectif enflait, gonflait.

Ordive était détestée à cause de ces rumeurs et à cause de son attitude, des années de détestation et de mise à l'écart l'avaient rongée d'aigreur et avaient fait grandir sa méchanceté, les personnes détestées finissent toujours par être détestables, c'est connu. Je n'étais pas différent des autres, je la haïssais. Elle poursuivait les enfants, ceux qu'elle rencontrait dans les rues, dont moi, et elle criait, elle criait : « Il faut être plus poli, il faut sourire aux vieilles dames, et il faut pas jouer à la Game Boy ou à l'ordinateur toute la journée, faut s'aérer le cerveau, oh à ma génération on savait mieux s'amuser, on nous donnait trois bouts de bois un bout de ficelle et on s'occupait tout le week-end », et même si j'ai beaucoup d'empathie pour elle à cause de l'acharnement qu'elle avait subi et qu'aujourd'hui je comprends que tout ce qu'elle avait traversé ne pouvait la mener qu'au ressentiment, que c'était quasiment fatal, à l'époque je ne pouvais rien faire d'autre que la haïr autant que les autres, et quand j'ai imaginé le directeur du foyer ce nom a été le premier à s'imposer. J'ai dit hier à Clara – qui a bien connu Ordive – que c'était peut-être cruel de ma part mais que ce nom pour lui m'avait paru être une nécessité.

Son père était depuis une heure au foyer et il savait déjà tout. Il avait fait la connaissance des autres habitants qui vivaient là depuis une éternité comme en témoignaient pas uniquement leur connaissance du lieu, des techniques, des horaires, mais également, et le père de Reda n'aurait pas su dire pourquoi, leur allure, leur façon de se tenir, de parler, de regarder, de rire, tous, à quelques détails près, de la même manière, comme des hommes produits par une même chose, sortant du ventre d'une même femme, une même personne, une même créature ; le foyer.

Il était arrivé depuis moins d'une heure et il savait tout ; il savait que pendant plusieurs années il devrait dormir avec quatre autres personnes dans une minuscule chambre – quatre hommes étaient répartis sur deux lits superposés, et l'autre, le cinquième, dormait sur le lino humide et moisi, allongé sur un tapis de sol. Il avait compris que les incendies feraient partie de la vie au foyer, qu'ils tueraient parfois – quand la chaleur atteint un degré encore plus haut on retrouve après, une fois le feu maîtrisé, les corps carbonisés, deux ou trois fois plus petits que leur taille normale, ratatinés, baignant dans une mare de graisse humaine solidifiée qui s'est écoulée du corps au moment où il brûlait. J'imagine. Il savait qu'il pourrait être renvoyé sous n'importe quel prétexte, pour « mauvaise tenue » comme disait le directeur (sans qu'on puisse vraiment savoir ce que voulait dire « mauvaise tenue »), qu'il serait renvoyé s'il rentrait en retard de l'usine – bien sûr les horaires de son père étaient surveillés à la minute près, m'avait dit Reda ; on l'avait averti, on l'avait prévenu qu'il était interdit de recevoir des femmes dans les chambres, ou des hommes de l'extérieur, des amis de l'usine par exemple, parce que le directeur craignait que sans femme les hommes ne se débrouillent avec ce qu'ils avaient. Son père avait dû découvrir que le pouvoir le contraindrait aux mensonges, qu'il serait contraint de mentir à sa famille restée au pays et à qui il envoyait de l'argent, qu'il mentirait par fierté, et qu'il devrait leur laisser croire, quand il y retournait, que sa vie était prospère en France et tout simplement belle, heureuse (et qu'est-ce que le pouvoir si ce n'est cette machine à engendrer du mensonge, à forcer au mensonge ?).

Quelquefois le directeur invitait le père de Reda à venir le voir dans son appartement privé, quand sa femme et ses enfants n'étaient pas là. Il arrivait à vingt et une heures précises, le directeur lui ouvrait la porte, un verre à la main. Il lui disait de s'asseoir. Il demandait au père de Reda s'il pouvait mettre un peu de musique et il n'attendait pas sa réponse pour se lever et allumer le poste. Le père de Reda détestait cette musique. Il la trouvait obscène. Mais il ne disait rien. Il ne bougeait pas, crispé sur le fauteuil pendant que chaque fois la même scène se reproduisait, durant deux heures le directeur parlait seul avant de le renvoyer, las de son divertissement, lui disant : « Il y a des jours où je me demande ce que je fous ici », lui disant : « Parfois j'ai envie de me casser pour plus voir ces gueules de bronzés », lui disant : « Des fois je m'dis qu'il doit bien exister un pays où on pourrait faire ce qu'on veut et où personne t'emmerderait, personne te dirait que t'es bien ou pas assez bien, et où tu pourrais te promener cul nul sans personne qui te dirait ce que tu dois faire ou pas faire, et c'est là-bas que j'irai quand je partirai », et le père de Reda gardait le silence, dur, dégoûté par la musique, dégoûté par l'homme face à lui.

Mais le pire pour le père de Reda, au quotidien, ce n'était pas la saleté des locaux ni l'autoritarisme du directeur, ce n'était pas l'étroitesse des chambres qui mesurent rarement plus de cinq ou six mètres carrés, ni le manque d'armoires pour le rangement, ni les odeurs méphitiques qui jaillissent des sanitaires comme des odeurs venues du centre de la terre et qui auraient traversé toutes les canalisations moisies et les fosses putrides pour arriver jusque-là et se répandre dans les bâtiments, ni les insectes, ni les cafards nichés dans chaque interstice, chaque fissure, sous les meubles branlants, ni les débuts d'incendie qui rythment la vie des cuisines à cause de la mauvaise qualité des installations électriques. Ce n'est pas non plus la misère sexuelle, les rêves qui s'ensuivent, l'obsession des femmes (ou des hommes pour quelques-uns), et les sexes qui durcissent, s'humidifient et se tendent sous les draps, se tendent jusqu'à la douleur au réveil. Ce qui rend la vie insupportable au foyer, par-dessus tout, c'est le bruit. Tous les résidents jurent quand on leur pose la question que le plus grand des fléaux au foyer c'est le bruit. Quand ils parlent entre eux ils parlent du bruit.

Son père lui avait dit qu'en comparaison tout le reste paraissait presque facile et supportable, parce que le bruit est l'une des seules choses qu'il est presque impossible de fuir ou de contrer. On peut réparer un lit bancal, se procurer, même illégalement, une nouvelle cafetière, trouver des produits pour tuer les cafards, mais le bruit, on ne peut rien faire contre lui, on ne peut pas le saisir, aller gifler un autre résident parce qu'il claque la porte ne servirait quasiment à rien, le bruit est partout, à toutes les heures du jour et de la nuit, presque autonome par rapport aux personnes qui sont censées le produire, le bruit pénètre les corps par le conduit auditif et se répercute dans chaque parcelle de l'organisme, le bruit harcèle le silence des organes. Les minuscules chambres des émigrés comme celle du père de Reda étaient au départ de grandes pièces qui ont été divisées en chambrettes, faute de place, par de fines planches en contreplaqué. Les ouvriers travaillent de

jour pour certain, de nuit pour d'autres. Les inces-
sants allers-retours entre le travail et le foyer, les
portes qui craquent, les ronflements, les cris nés des
cauchemars, les lits grinçants, toute la misère parle
par le bruit. Le repos est impossible, les nuits sans
sommeil et le sommeil sans repos s'accumulent, et
la fatigue rend plus intolérant encore au bruit.

Il était kabyle. L'agent de police, quand je l'ai
répété, l'homme ou la femme je ne m'en souviens
plus, m'a interrompu, et elle ou il m'a dit, puisque je
venais de préciser que de savoir que Reda était
kabyle avait profondément modifié le cours de la
soirée : « C'est votre truc à vous tout ce qui est
arabe ? » Ils ont attendu ma réponse, et moi, j'ai
hésité, puis comme l'idiot qu'on est dans ces circonstances, j'ai répondu, comme si sa question en
était une ou comme si elle était normale, posable,
qu'il n'était pas arabe mais kabyle, que j'avais lu des
études sur cette région-là du monde, et que, grâce à
ces lectures, je maîtrisais quelques éléments de
culture kabyle. Et même des mots. Aujourd'hui je
les ai oubliés mais ce soir-là ils étaient très présents
dans mon esprit. J'avais dit à Reda que je connaissais très bien (très bien, j'exagérais) la culture
kabyle. Il était stupéfait. Mais l'agent de police restait sceptique, et il ou elle m'a dit : « Vous êtes sûr
qu'il était kabyle ? Il est évident qu'il a pu vous mentir, et il y a même de fortes chances pour que... » ;
cette fois je ne l'ai pas laissé aller plus loin, j'ai dit :
« Quand je lui disais quelques mots en kabyle il les
reconnaissait. » Il les identifiait et il les traduisait. Je

me concentrais pour en retrouver le plus possible. Mes erreurs de prononciation l'amusaient, il se moquait de moi. Et je lui ai dit ce dicton : *Azka d Azqa*. J'ai trouvé la coïncidence et le cynisme trop forts pour paraître vrais et à cause de ça je n'ai pas rapporté cette séquence à Clara. Reda m'a demandé de le prononcer encore une fois. Il m'a dit : « Ça parle de demain, du tombeau et de la mort. » J'ai demandé à Reda de me parler de sa mère. Il a répondu qu'il le ferait plus tard.

Six

J'ai toujours la porte striée en face des yeux. Je suis calme. J'essaye de garder mon calme. Clara dit à son mari qu'à ce stade je regarde Reda dans les yeux et je me félicite de l'avoir rencontré, je me félicitais d'avoir refusé le verre de plus que Geoffroy m'avait proposé. Geoffroy avait voulu me servir un dernier verre de vin avant mon départ et j'avais dit non. Je ne sais pas pourquoi j'avais repoussé d'un geste nonchalant la bouteille qu'il avait dirigée vers moi, ça devait être la fatigue. Après la nuit avec Reda j'ai perdu beaucoup de temps à me poser des questions inutiles, je l'ai avoué à Clara, des questions qui ne mènent nulle part, sans issue ou du moins sans réponse mais qui pouvaient remplir mes journées et m'empêcher de faire quoi que ce soit d'autre que de me les poser et me les poser encore, ou me limiter à quelques gestes mécaniques qui ne m'empêchaient pas de me concentrer sur elles, ces questions, comme refaire le lit que j'avais déjà fait plusieurs fois le même jour, trouver quelque chose à ramasser par terre, un stylo, un cheveu, ou remettre les fourchettes en ordre dans le tiroir à couverts ; je me demandais si ce qui s'était passé avec Reda aurait pu avoir lieu si j'avais accepté le verre de Geoffroy et traversé la place cinq minutes plus tard, je me persuade qu'un tout petit détail, un détail minuscule et insignifiant comme un verre de plus ou de moins, ou même une pause pour renouer mes lacets à quelques dizaines de mètres de la place de la République, ou un détour par une rue que je préfère, que je trouve plus agréable, plus belle, plus singulière, je me demande si une chose aussi insignifiante ne m'aurait pas permis de ne pas croiser Reda, si une différence de volonté aussi dérisoire aurait pu changer le cours de la nuit et des mois d'après. Je sais en dépit de tout ça que si ça n'avait pas eu lieu ce soir-là ce qui s'est passé aurait eu lieu plus tard, plus ou moins de la même façon, que c'était une fatalité géographique.

On avait atteint un carrefour encerclé par les lampadaires au croisement de la rue du Faubourg-du-Temple et du quai de Valmy, et je marchais moins vite parce que j'espérais que ça me permettrait de lui parler plus longtemps avant que j'aille me coucher. Je ne savais presque rien de lui et je voulais déjà le supplier de ne pas m'abandonner, pensant *C'est parce que les rues sont vides qu'il s'intéresse à toi*, pensant *C'est parce qu'il n'y a personne d'autre. C'est parce que tu es seul dans la rue à cette heure-là.*

On se rapprochait de chez moi et Reda continuait de me faire des compliments, parfois étranges, démesurés, et le vent soufflait encore, il traversait mes vêtements, mes cheveux se dressaient sur mon crâne. J'essayais de les plaquer sur mon front mais aussitôt ma main remise dans la poche de mon manteau ou déjà lorsque ma main était à mi-parcours entre mon crâne et ma poche, à peine l'ouverture de la poche atteinte ou effleurée du bout des doigts, les cheveux se redressaient.

Et puis j'ai su que j'avais changé d'avis. Définitivement.

« Il a su qu'il irait chez lui. Maintenant c'était certain. Il parlait avec Reda de ses origines arabes *(elle se trompe, il n'était pas arabe)* et c'est là qu'il a compris que la part de lui qui résistait elle avait disparu. Qu'elle était morte. Enfin du moins c'est ce qu'il pensait, et moi je te dis tout ça comme si qu'ils avaient marché trois jours ensemble mais ils étaient tout près, ils ont fait, quoi ? cinq cents mètres ensemble *(et même moins sachant que j'avais fait cinquante mètres seul après que j'avais garé mon vélo et avant que Reda ne vienne me parler).*

« Alors il s'est passé ce qui devait arriver. Il a perdu patience Reda. Ça devait bien arriver. Il pose son doigt sur la bouche d'Édouard pour le faire taire *(et je sentais la tiédeur de son doigt sur mes lèvres, je sentais l'odeur de cette tiédeur)*, il lui dit qu'ils peuvent pas zoner comme ça toute la nuit à rien faire, et franchement, bon tu sais ce que je pense de lui mais là-dessus je le comprends, franchement c'est normal, fallait se décider. Il dit qu'il faut faire quelque chose parce qu'il dit qu'ils peuvent pas rester dans la rue comme des galériens jusqu'au lever du soleil. Édouard il le regarde. Il répondait pas. Il se tait, il baisse sa tête. Il sait pas comment répondre, alors l'autre il insiste, il lui dit : Qu'est-ce qu'on fait maintenant, alors où on va.

« Mais il était pas énervé. Pas du tout. Quand il dit tout ça il s'énerve pas, non, c'était une autre espèce d'impatience si tu veux, je veux dire, je sais pas comment le dire, pas l'impatience de quelqu'un qui est en colère mais l'impatience de celui qui peut plus attendre quelque chose qu'il veut depuis un moment, c'est différent, et pis qui sait que ça va arriver, et pis qui veut que ça arrive. Tu vois. L'impatience heureuse.

« Il prend de l'élan et il sort au milieu d'une phrase : On fait l'amour ? Il a dit ça. Mot pour mot, je te jure. Il a pas froid aux yeux le mec. Bon. Tu comprends bien qu'Édouard c'est ce qu'il voulait entendre. Demande à un chien si il veut un os. Il attendait que ça lui, depuis longtemps déjà. Ce qu'il avait voulu c'est que Reda il accélère la cadence, qu'il aille plus vite. Il avait résisté justement pour que l'autre il dise une phrase de ce genre-là, parce qu'il espérait ça, il avait pas résisté pour le faire taire.

« Mais c'était trop violent. Il a posé sa question tellement directement qu'il a réagi tout seul le corps d'Édouard, comme quand tu tapes un petit coup de marteau sur le genou, pas lui mais son corps, comme si son corps il était en retard sur sa tête si tu veux, je sais pas comment dire non plus, parce que lui elle était prise maintenant, sa décision. Il était sûr de lui. Pour lui c'était une affaire réglée, le problème il était derrière lui. Il savait ce qu'il voulait et ce qu'il vou-lait c'était Reda chez lui. Dans son lit. Je te passe les détails. Il était plus question de lire. Adios les livres. Oubliés.

« Sa tête elle voulait dire Oui mais il a entendu son corps dire Non. À un tel point comme on dit qu'il était même étonné de s'entendre dire Non, et donc il a continué à entendre son corps qui parlait contre lui-même il m'a dit, je te dis ce qu'il a dit, et sa tête elle voulait le faire monter chez lui mais son corps il lui mentait, juste par réflexe, à Reda, et sa tête elle insultait son corps *(et je haïssais mon corps)* mais elles servaient à rien ses insultes, il a continué à mentir et il disait *(ou plutôt mon corps disait à ma place)* T'imagines le foin que ça ferait si je te ramène chez moi avec ma famille et pis tout le bordel ma famille si elle me trouve avec un garçon dans ma chambre je préfère même pas imaginer, ce serait le Déluge. Là ce serait la crise et alors tu ressortirais pas en un morceau tu peux me croire. Mon frère il me maraverait si je te ramènerais chez moi parce qu'il dit toujours qu'il veut pas de ça ici. Tout sauf ça. Alors ce serait la guerre. Ils me laisseraient plus jamais remettre un pied chez moi pis toi il te broierait la gueule tellement que ta mère elle te reconnaîtrait plus.

« Et moi encore une fois j'ai trouvé qu'il exagérait. Il aurait quand même pu trouver un autre mensonge. Je sais pas, autre chose mais pas un mensonge qui nous fait passer pour des intolérants, pas un mensonge comme ça. Des mensonges c'est pas ça qui manque. Je ne sais pas, il aurait pu trouver autre chose. Nous on a toujours respecté ce qu'il était, depuis toujours, et quand il nous a dit qu'il était différent, le jour qu'il nous l'a dit, moi je m'en rappelle comme si c'était hier, je peux te le garantir, on lui a répondu que ça changeait rien et qu'on l'aimerait quand même *(elle ment)*, toujours, et que pour nous il serait la même personne. On lui a dit que l'important c'était ça, son bonheur, qu'il soit heureux *(elle ment)*, la famille avant tout. Ma mère elle lui a dit Moi ce qui compte c'est que mes gamins ils soient heureux et qu'ils vivent une belle vie heureuse c'est tout ce que je demande, l'argent tout ça je m'en fiche, c'est pas l'importance, moi je demande que le bonheur de mes gamins. Juste le bonheur. Bon. Bien sûr on lui a demandé de ne pas trop le faire voir dans le village quand il revenait pour le peu qu'il revenait de toute manière, pour les rares fois qu'il revient, parce que dans ces cas-là ce serait retombé sur notre dos à nous. On l'aurait payé. Comment tu crois que ça se serait passé ? tu sais comment ils sont les gens ici, tu les connais comme moi, c'est des campagnards, ils nous auraient poursuivis pour les cinq générations à venir c'est sûr, j'exagère pas. Ils nous auraient pas lâchés, oh non, et on aurait eu des remarques tout le temps, et la pire vie du monde, des remarques désagréables ou des sous-entendus tous les jours, tout le temps. Je te parle même pas de ce qu'ils auraient raconté derrière notre dos, ça y aurait été, et ses petits frère et sœur à l'école ils en auraient pris pour leur grade, ils auraient eu leur vie gâchée. Parce que c'est des campagnards, les gens d'ici. Ça doit être la fumée du fumier ou les pollens qui leur rentrent dans la tête pour être aussi bornés. Mais moi j'y peux rien. C'est pas de ma faute. Alors on lui a demandé de ne pas faire trop de manières et de pas s'habiller avec des habits trop provocants, c'était pas trop demander. On lui a juste fait promettre de pas le dire à son grand-père non plus parce que son grand-père il aurait pas compris, ça l'aurait peut-être tué, et on peut pas lui en vouloir, non ? c'est vrai, non ? c'est une autre génération, on peut pas juger pareil des générations différentes, il a eu une vie à la dure, le travail à la ferme, la guerre d'Algérie, le travail à l'usine après la guerre et encore et encore. Il aurait pas compris. Il aurait pas été capable de comprendre et honnêtement c'était pas la peine de le tracasser avec ça à son âge, en plus de tous les problèmes qu'on peut avoir à cet âge-là.

« Mais nous on a très bien accepté *(ce n'est pas vrai)*. Alors j'ai des doutes. J'ai des soupçons. Des fois je soupçonne Édouard de nous avoir avoué qu'il était différent – pas pour se rapprocher de nous ou pour qu'on le connaisse mieux, puisqu'à la base, je crois je me trompe pas, c'est pour ça qu'on avoue un secret, mais au contraire je crois qui nous l'a avoué pour l'inverse. Parce qu'il espérait secrètement qu'on l'accepterait pas. Il espérait que de nous le dire ça l'éloignerait de nous parce qu'on lui en aurait voulu de son secret, et qu'on aurait pas accepté, et lui, il aurait pu raconter aux autres, par la suite, avec son air arrogant, Vous voyez, c'est de leur faute à eux si je me suis éloigné d'eux, par lâcheté. Pour ne pas être responsable et pouvoir dire partout : C'est eux qui me rejettent, c'est pas moi qui les abandonne, c'est de leur faute, et avoir la conscience tranquille. Tu sais comment ça marche ces trucs-là. Ce que je me dis quand je trouve le temps d'y penser

– je le dis pas à ma mère, bien sûr je préfère lui cacher pour pas la rendre malheureuse – c'est que comme il s'est rendu compte qu'on l'acceptait très bien, lui, et qu'on acceptait très bien son secret, il nous en a voulu, il nous en a voulu parce qu'il s'effondrait, son plan, et qu'il pourrait pas aller raconter aux autres que tout était de notre faute, et je me dis des fois qu'il nous a jamais pardonné de l'avoir accepté. Voilà. Mais je m'éloigne encore. Où est-ce que j'en étais ? Édouard. Il s'excuse de pas pouvoir le faire monter chez lui. Il dit Pardon, je peux pas te faire venir chez moi – ou du coup il s'entend s'excuser, il entend son corps qui s'excuse à la place de sa tête comme il me disait – il est quand même pas net des fois, mais supposons, supposons. Il s'entend s'excuser et là Reda qu'est-ce qu'il fait ? il prend sa main, encore, une deuxième fois, au milieu d'une phrase. Il attrape la main d'Édouard et il la plaque sur son sexe à lui à travers son pantalon de jogging. Il portait un pantalon de jogging. Il s'y attendait pas Édouard. Pas le pantalon bien sûr, le coup de la main, et l'autre il lui dit : Alors laisse-moi juste te payer un verre en bas, au café, juste un café, cinq minutes le temps de me donner ma chance, donne-moi ma chance, donne-moi ma chance, et il rajoute Bien sûr c'est moi qui te paye le verre, allez, s'il te plaît, et comme Édouard il disait toujours rien, il prend une deuxième fois la main d'Édouard et il la ramène sur lui et il lui dit des trucs comme T'es tellement beau, t'es le plus beau blond que j'ai vu. T'as les yeux les plus bleus. Alors il soupire Édouard. Il dit à l'autre de venir chez lui. »

Comme j'avais menti avant de me raviser pour admettre juste après que je n'habitais pas avec mes parents, Reda avait voulu savoir pourquoi à seulement un peu plus de vingt ans j'avais quitté ma famille et surtout pourquoi je ne fêtais pas Noël avec eux. Il a suggéré que c'était à cause de mes études. Je lui ai répondu que les études avaient plutôt été pour moi une conséquence de la fuite. Que j'avais d'abord fui. Les études, l'idée des études avait émergé beaucoup plus tard, quand j'avais compris qu'elles seraient à peu près le seul chemin possible, ou au moins le seul chemin qui me permettrait de m'éloigner non seulement géographiquement, mais aussi symboliquement, socialement, donc totalement de mon passé. J'aurais pu me faire ouvrier, comme mon frère, dans une usine à trois cents kilomètres de chez mes parents et ne plus les voir ; la fuite aurait été partielle. Il serait resté en moi la présence de mes oncles, de mes frères : le même vocable, les mêmes expressions, les mêmes habitudes alimentaires, vestimentaires, les mêmes intérêts, et plus ou moins le même mode de vie. Il n'y avait que les études qui me permettaient une fuite totale. Reda m'interrogeait : « Mais quand même, tu vas les voir souvent, ils viennent te voir ? Il faut les voir, c'est eux qui t'ont élevé », et j'y voyais, venant de lui, une marque de sa générosité.

« Alors ils sont montés chez Édouard. Ils faisaient la course dans les escaliers. Il y avait pas de raison, il y en a seulement un qui a couru et l'autre qui a suivi. Comme des enfants. Ils rigolaient et ils trichaient en se retenant, en tirant leurs habits à l'un et à l'autre pour se ralentir *(les rires résonnaient dans l'escalier)*. Il m'a dit qu'ils riaient fort et qu'ils respiraient fort et qu'ils avaient chaud et qu'arrivé à sa porte – il habite au cinquième étage – il a voulu ouvrir, mais il trouvait pas ses clés. Pour changer. Et quoi ? Il a paniqué. Il a pensé que tout s'effondrait, que tout, que la conversation, la rencontre, que ça avait été du temps perdu parce qu'il pourrait pas faire entrer l'autre chez lui. Moi je lui ai dit Enfin du temps perdu pas non plus, vous auriez pu vous voir le lendemain, et il m'a répondu, je voyais bien qu'il était énervé que je le coupe, Oui, du temps perdu, c'est une façon de parler. Et en fin de compte il les a trouvées. »

Je n'avais pas retrouvé les clés seul. En fait, Reda avait glissé ses mains dans mes poches et il les avait fouillées l'une après l'autre. Il laissait imprimer la chaleur de ses mains à travers le tissu dans chacune d'elles et mon sexe durcissait de la proximité avec ses doigts. Ses doigts étaient tièdes et moites. C'est lui qui avait trouvé les clés. C'est un détail qui fait partie de tous ceux que je n'ai donnés ni à ma sœur ni à la police mais seulement à Didier et Geoffroy. Je n'ai par exemple pas dit à la police, alors que ce moment avait participé à l'atmosphère de la nuit et à mes sentiments – au sens le plus général – pour Reda, je n'ai pas dit qu'une fois dans mon appartement, plus tard, j'avais éteint les lumières et que les persiennes laissaient filtrer à travers les lames de bois la lumière bleu encre du dehors, et comment je voyais cette lumière bleue projetée par fines zébrures sur Reda, sa poitrine, ses bras, son visage. Je n'ai pas non plus dit que Reda avait proposé de me faire un massage avant de prendre la fuite, bien avant, avant le viol, avant l'écharpe, avant la colère, que j'avais accepté et que je m'étais allongé sur le ventre. Il m'avait demandé de me détendre, de prendre des inspirations aussi profondes que possible, de retenir l'oxygène dans mes poumons puis de recracher lentement, par de longues et lentes expirations, et il chuchotait : « Pense à quelque chose de beau », et j'avais répondu : « Toi », il avait ri et il s'était repris : « Alors pense plutôt à un lieu beau », et j'avais répondu : « Toi. » Je me serais senti ridicule de raconter ça à quelqu'un d'autre que Didier ou Geoffroy.

J'ai directement décrit notre entrée à la police. Sans plus de précisions. Les deux policiers étaient si statiques devant moi qu'ils semblaient faire partie du décor autant que les chaises ou les affiches jaunies de prévention contre la drogue qui tapissaient le bureau. Je me rendais déjà compte de l'importance de leur écoute. J'ai énuméré cette semaine à Clara, et à Didier et Geoffroy dès le lendemain de la plainte, toutes leurs remarques déplacées et racistes, toute leur incapacité à saisir mon comportement, ou leurs obsessions, tout ce qui nous éloignait, tout ce qui me faisait les haïr, mais ils étaient aussi une aide capitale, décisive, ils représentaient un lieu où ma parole était à la fois possible et dicible. Il est évident qu'ils m'ont aidé à me sentir autorisé à parler dès mon arrivée, et plus tard mes mots ont continué à porter la trace de cette possibilité qu'ils avaient fait exister dans ma bouche.

L'homme assis devant son bureau m'avait ramené à lui quand je lui décrivais notre entrée dans mon studio : « Jusque-là il ne manifestait aucun signe d'agressivité ? » J'ai répondu : « Aucun. Non au contraire il était drôle. Bienveillant. Peut-être un peu trop pour une première rencontre, quand j'y repense. » Et l'agent de police : « Vous lui avez donné de l'alcool ? Vous pensez qu'il en avait déjà bu avant votre rencontre ? »

Il m'avait dit qu'il avait un peu bu mais il n'était pas ivre. Il avait une parfaite maîtrise de ses gestes. Il ne sentait pas l'alcool. Il retirait ses chaussures en gardant les yeux rivés sur les piles de livres tandis que de mon côté je le regardais. On avait rallumé la lumière (est-ce que c'était pour se déshabiller ?). Il inclinait légèrement la tête pour lire les titres des ouvrages, il les murmurait, il se tournait vers moi. Est-ce que j'avais quelque chose à boire ? Je n'avais rien. Et puis je me suis rappelé qu'il me restait une bouteille de vodka dans le congélateur, qu'un ami polonais m'avait offerte quand il était venu me rendre visite à Paris, et comme je n'aime pas ça la bouteille n'avait pas bougé, elle était encore pleine. Je lui en ai servi dans un grand verre, il a bu une gorgée ou deux. Il n'a pas bu plus, je me suis approché de lui et nous nous sommes embrassés. Son haleine dégageait des puissants relents d'alcool, même après une seule gorgée. Je me suis assis et j'ai ouvert ma braguette, la tête renversée en arrière et les yeux fermés. Il a posé le verre et il s'est mis à deux genoux, en face de moi.

La police voulait savoir si j'avais senti son arme en me collant contre lui mais je n'avais rien remarqué. De toute façon il avait retiré ses vêtements très vite et si j'avais senti quelque chose dans la poche intérieure de son manteau je n'aurais pas pensé à une arme. Nous avons fait l'amour une première fois. On a recommencé, quatre, cinq fois, entre deux rapports il dormait à côté de moi, il faisait de courtes siestes de quelques minutes pendant lesquelles il s'agrippait à mes bras, à mes cheveux, il passait sa main dans mes cheveux et il les agrippait comme s'il avait eu peur que je me sauve. Il mettait ses jambes entre les deux miennes et il recouvrait mon sexe avec sa main ou il s'y accrochait, il le serrait entre ses doigts. On se réveillait, on discutait parfois. Puis on reprenait.

Il s'était levé trois ou quatre fois dans la nuit pour aller à la salle de bains et se rincer. Il se collait au lavabo, debout, sur la pointe des pieds, légèrement arqué vers la vasque. Il frottait son sexe avec ses mains, les muscles de son dos se contractaient. Il faisait couler l'eau tiède sur son sexe et le bas de son ventre qu'il frottait par des mouvements vifs et circulaires, et en revenant vers le lit, il se figeait devant les livres. Il avait attrapé un volume épais et il avait dit : « Je lis jamais, l'école mes parents auraient bien aimé que ça marche mais c'était pas mon trip, je préférais faire le con. » C'est une des phrases autour desquelles j'ai tenté ensuite d'imaginer la vie de Reda, de construire du sens et des explications dans les zones de silence. J'avais dit à Didier et Geoffroy qu'un jour Reda se serait levé de sa chaise. Lentement. C'était au collège. Il était assis comme tous les autres et soudain il se lève. Il s'éloigne de sa chaise, beaucoup trop délicatement – se lever d'un geste vif, brutalement, ou crier, aurait été finalement moins inquiétant pour l'enseignante, c'est clair, et même largement plus rassurant que ce mouvement trop calme et trop maîtrisé auquel elle n'est pas habituée, qu'elle n'a pas de langage pour nommer. Elle ne dit rien. Tous les autres regardent Reda. J'imagine une salle de classe baignée par la lumière du jour. J'imagine les rayons du soleil sur le jaune poli des tables en bois et sur le lino jaunâtre aussi, qui, chauffé par cette lumière du dehors, dégage une odeur de plastique. Ils écrivaient. Ils étaient silencieux quand Reda s'était levé et qu'il avait marché jusqu'à une fenêtre. Il avance, il passe entre les sacs béants, jetés sur le sol. Il les contourne, et les têtes se tournent une à une vers lui, personne ne comprend, les autres le suivent des yeux et il avance paisiblement, il reste calme, il se dirige vers la fenêtre qu'il ouvre tout aussi paisiblement, comme s'il voulait faire un courant d'air, et d'ailleurs c'est peut-être ce que les autres se diraient dans un premier temps : « Il va ouvrir pour faire un courant d'air. » Il fait coulisser la vitre et il enjambe la fenêtre. C'est mon cousin Sylvain qui avait fait ça. C'était un de ses exploits, on en parlait souvent en famille et au collège, le même collège qu'il avait fréquenté dix ans avant moi, où avait eu lieu la scène. Personne n'avait oublié, avec les années cette scène était devenue un mythe constitutif de la masculinité, une sorte d'idéal, de genèse de la mas-culinité, de référent par rapport auquel les garçons devaient s'inventer, auquel ils rêvaient, un fantasme qu'ils devaient atteindre ou au moins vers lequel ils devaient tendre en toute circonstance. Ce ne serait pas mon cousin dans cette situation mais ce serait Reda. Je transpose. Il ouvre la fenêtre du bout des doigts et aucun mot ne vient fendre le silence de l'étonnement. Là, sa jambe, dans une sorte de ralenti, se décolle du sol, se plie, se tend, se plie une deuxième fois pour passer par-dessus le rebord de la fenêtre. Et l'explosion. En même temps que l'enseignante, qui d'abord est restée muette et éton-née comme les autres, comprend, et qu'elle pousse un cri, Reda en pousse un, c'est ce qu'avait fait mon cousin selon ce qu'on m'avait raconté et que j'avais souvent raconté à mon tour, un cri encore plus fort et plus grave qui couvre son cri à elle et qui rend le sien, en comparaison, misérable, terne, insignifiant – et il hurle qu'il va se tuer, « Je vais me buter, je vais me faire exploser ma race, je vais me faire la gueule », et l'enseignante panique, « vous imaginez », j'avais dit à Didier et Geoffroy, c'est comme un tableau où elle est debout à droite du cadre, évidemment les mains jointes devant la bouche et les yeux grands ouverts comme cela doit se passer dans cette configuration, quand un corps répond à une situation, impuissante, et à gauche du cadre Reda, tous les deux presque symétriques, Reda la jambe par-dessus la fenêtre, hurlant, disant : «Je vais me faire péter la tête, je vais me faire la gueule, je vais me balancer par la fenêtre», et le visage arrosé par la lumière jaune, et ses yeux qui brillent, et les épaisses veines de son visage qui ressortent à cause de ses cris, énormes sur son front, la bave sur les lèvres, la bave qui fait luire ses lèvres, et la lumière trop jaune, tout, autour de lui, trop jaune, les postillons, et lui qui se retient de ne pas rire de sa performance parce qu'il jubile du regard à la fois craintif et admiratif des autres, qui en même temps savent qu'il ne sautera pas, qui espèrent qu'il ne le fera pas et qui espèrent qu'il le fera, qu'il sautera. Il n'y avait pas de raison. Et c'est là l'enjeu de cette histoire, j'avais dit à Didier et Geoffroy, c'était pour rien. Il n'avait aucun conflit particulier avec l'enseignante, il voulait juste voir la panique la transformer, la déformer, la défigurer, il voulait faire rire les autres, prouver qui il était, il voulait incarner l'autonomie absolue – Reda ou Sylvain peu importe –, la figure la plus spectaculaire de l'autonomie. Il n'avait pas besoin de répondre à un conflit. Il était en mesure de le créer, le produire, l'inventer – c'était lui qui maîtrisait le temps, les autres étaient ceux qui étaient contraints de répondre, lui qui choisissait *quand* le conflit devait avoir lieu, comment, et l'intensité qu'il devait revêtir, les autres devaient se définir par rapport à lui.

Sept

Je ne reconnaissais plus ce que je disais. Je ne reconnaissais plus mes propres souvenirs quand je les racontais ; les deux policiers me posaient des questions qui me contraignaient à exposer la nuit avec Reda autrement que je l'aurais voulu et je ne reconnaissais plus ce que j'avais vécu dans la forme qu'ils imposaient à mon récit, je me perdais, je savais qu'une fois avancé dans ce récit, par ce qu'ils me demandaient ou par les directions qu'ils me faisaient prendre, il était trop tard pour revenir en arrière, ce que j'aurais voulu dire était perdu, je sentais que si une chose n'était pas dite au moment où elle devait l'être elle disparaissait, sans possibilité de retour, irréversiblement, la vérité s'éloignait, s'échappait, je sentais que chaque parole prononcée devant la police rendait d'autres paroles impossibles l'instant d'après et pour toujours, je comprenais qu'il y avait certaines scènes, certaines choses qu'il ne fallait pas dire pour me souvenir de tout, qu'on ne peut se souvenir qu'en oubliant, et que si la police me forçait à me souvenir de ces choses-là alors c'était tout que j'oublierais.

Reda était chez moi depuis deux heures.

« Ils étaient allongés sous les couvertures et ils discutaient. Édouard il posait des questions et l'autre il répondait : Plus tard. Je te raconterai plus tard. Je comprends pas pourquoi il a pas commencé à se douter de quelque chose Édouard. C'était pas normal. »

Et puis elle dit que si, que finalement elle sait, elle sait pourquoi je ne me doutais de rien, que c'est parce que je m'attache trop vite, à n'importe qui, qu'enfant j'étais déjà comme ça, que je n'ai pas changé, mais elle dit qu'elle n'en parle pas devant moi, qu'elle n'exprime pas cette idée devant moi parce qu'elle sait que je lui répondrais que ce comportement s'expliquait et s'explique encore par ma solitude, par mon exclusion à l'intérieur de notre famille, et elle dit qu'elle ne veut pas m'entendre dire ça. Que ce n'est pas vrai.

« Alors il a dit qu'il devait partir, Reda. Il était un genre de plombier qui faisait du travail au black. Il commençait tôt le lendemain matin. Oh, des petits travaux à droite à gauche comme les hommes ils font ici pour la plomberie ou l'électricité, ou pour les pannes de voiture (*il y avait ces amis de votre père qui faisaient ces petites réparations dans le jardin et qui se réunissaient ensuite autour de la bouteille achetée pour remercier celui qui avait apporté son aide, les mains souvent noircies par la graisse des appareils électriques ou des moteurs de voiture qui avaient été mani-*

pulés, les traces qui mettaient plusieurs jours à totalement s'estomper, ou les doigts parsemés de crevasses blanchâtres sur la peau dure, comme des petites cloques sur la peau à cause du white spirit qu'ils versaient sur leurs doigts pour justement éliminer la graisse plus vite).

« Il a dit qu'il partait – et même si on ne pourra jamais connaître la vérité moi je suis certaine que tout était prévu dans sa tête. Tout ce qu'il a fait après. Tout. Et qu'à ce moment-là il allait pas vraiment partir, et que c'était du bluff, et qu'il se préparait déjà à la suite et qu'il mentait en disant qu'il allait partir *(je ne crois pas. Ou peut-être seulement le vol, c'est sûrement vrai pour le vol, mais je crois au contraire que Reda n'avait pas prévu la tournure que prendraient les heures et que ce soir-là, ce qui n'enlève rien à la violence et à l'infernal, je crois que tout s'est succédé par tâtonnements, accidents, hésitations, sans préméditation de sa part, qu'il a agi comme une personne essayant laborieusement de s'adapter à la situation immédiate, et par rapport à ce qui venait juste de se passer, que les improvisations se superposaient les unes aux autres, et qu'il était, je ne dirais pas autant désemparé que moi mais perdu lui aussi, et ignorant de ce qu'il allait faire. Il y avait dans sa façon d'agir, quand la situation s'est transformée – je peux le dire car je l'ai vu –, des signes de l'improvisation qui conférait à la scène un air bouffon et – évidemment seulement a posteriori pour moi, seulement après coup – quelque chose de comique, dans ses*

attitudes désemparées, dans ses regards embar-
rassés, face à ce qu'il venait de faire mais chaque
fois comme pris au piège par cela même qu'il
venait de faire, par ce passé plus qu'immédiat, et
emporté par une sorte d'enchaînement des présents
qu'il ne maîtrisait pas. Je crois que chaque décision
prise ce soir-là, de mon côté comme du sien, ren-
dait d'autres décisions impossibles l'instant
d'après, que chaque choix détruisait des choix pos-
sibles et que plus il choisissait et moins il était
libre, tout comme moi pendant l'interrogatoire
avec les policiers). (Clara t'a rétorqué l'autre jour
que la possession du pistolet invalidait toutes ces
théories.)

« Il lui a proposé de prendre une douche. Il lui a
demandé son numéro de téléphone mais Reda, il ne
voulait pas, il refusait – et là c'est une première
preuve qu'à mon avis il avait déjà tout prévu,
Édouard dit que non mais il a tort. Il avait déjà fait
ça l'autre, ce qu'il faisait, et il savait très bien ce
qu'il fallait faire et pis éviter de faire et c'est pour
ça qu'il a refusé de prendre sa douche avec
Édouard. Bien sûr il refusait les choses qui
l'auraient mis en danger après, c'est logique. Toutes
les choses que toi ou moi on ferait sans se poser de
questions parce que quand on ne sait pas, on ne se
pose pas de questions, on fait sans penser, et quand
on ne sait pas il y a tout qui passe plus vite, mais lui
il mesurait tout, la moindre seconde. Il calculait
tout. »

Je lui demandais de me laisser son numéro de
téléphone, je promettais que je n'allais pas le déran-

ger mais il se braquait, il baissait les yeux. Je me suis dit qu'il y avait une bonne raison et que c'était parce qu'il avait déjà quelqu'un dans sa vie, un homme ou une femme, et qu'il avait peur qu'un message que j'aurais envoyé soit découvert un jour qu'il aurait laissé le téléphone traîner sur un meuble ou au coin d'une table, négligemment. Clara dit que j'essaye de me persuader par tous les moyens que ce n'était pas qu'il ne voulait pas mais qu'il ne pouvait pas. Elle m'a dit hier que je me fais croire qu'il y avait forcément une autre raison que la volonté, que ce n'était surtout pas sa volonté qui était en jeu, ce qui est sans doute vrai.

Il m'a dit qu'on pourrait se revoir dans un café où il avait l'habitude de passer la journée, un vieux café parisien où il allait jouer au baby-foot avec ses amis. Il m'a donné le nom du café. Je ne suis jamais allé vérifier s'il existait mais j'ai répété l'information à la police, et je l'ai regretté tout de suite après.

Clara dit à son mari que j'avais marché jusqu'à mon bureau, j'avais pris un morceau de papier que j'avais déchiré d'un petit carnet de notes et j'avais écrit l'adresse et le nom du café où je travaillais sur mon manuscrit presque chaque jour depuis que j'habitais à Paris, ce même café où j'avais terminé mon premier roman *En finir avec Eddy Bellegueule* à peine un mois avant. Il m'a dit qu'il viendrait, je n'y suis jamais retourné.

Reda est allé se laver. On s'est lavés seuls, chacun notre tour. Je l'ai regardé prendre la douche à travers la paroi embuée. J'apercevais les angles de son corps qui remuaient sous l'action de ses mains avec lesquelles il se savonnait, indistinctement à cause de la vapeur d'eau et des gouttes sur le plexiglas qui brouillaient ses formes. Je voulais être ses mains.

« Mais donc il avait pas l'air plus pressé que ça. Il s'est douché et ensuite il a laissé Édouard se doucher. Il lui a laissé le temps de sortir, et se sécher et mettre un slip, allumer la lumière et pis lui dire au revoir. C'est bizarre quand même parce qu'il aurait pu filer en douce pendant qu'Édouard il était en dessous de sa douche mais il est pas parti. Il est resté et il a attendu de lui dire au revoir. Il a attendu qu'Édouard il se rhabille, qu'il se sèche, qu'il rallume la lumière. Alors qu'il aurait pu partir. Bon… Qu'on vienne pas me dire… Donc il est sorti de sa douche, Édouard. Il a voulu regarder l'heure sur son téléphone. Il a toujours besoin de connaître l'heure ou il en est malade. Depuis qu'il est à la maison c'est pareil, y a pas cinq minutes où il regarde pas l'heure sur son portable. Il dit qu'il perd tous ses repères sans l'heure. Il dit comme ça qu'il devient incapable de tout parce qu'il peut pas se situer et qu'il se sent comme si il était perdu au milieu du temps et qu'il peut rien faire, que ça le paralyse, Ah, j'ai pensé quand il m'a dit ça, j'ai pensé T'es vraiment obligé de faire une affaire de tout toi. Au milieu du temps, franchement je te jure. J'en entends de bonnes. Si le bon Dieu il savait tout ce qui me passe dans les oreilles. Mais encore une fois j'ai été gentille. Et c'est pour ça qu'il a regardé dans sa poche pour voir l'heure sur son téléphone. Mais le téléphone il avait disparu de la poche. Le téléphone était plus dans la poche et Reda il était toujours là, raide comme la justice. Il était debout à côté de lui, sans bouger. »

Huit

J'ai imaginé la raison de la disparition du téléphone mais je n'osais pas le dire et encore moins le penser ; je me concentrais pour ne plus le penser.

Clara décrit à son mari comment je continuais, contre toute logique puisque l'appareil n'était pas là, à fouiller la poche vide, comme si le téléphone avait pu soudainement apparaître à force de volonté et de mouvements des doigts dans l'espace de la poche.

À ce moment du récit la policière a dit, le lendemain : « Oui nous ici, au commissariat... la plupart des vols, enfin... ce sont des étrangers la plupart du temps, des Arabes. » Je n'ai pas protesté, je ne l'ai pas insultée pour ne pas retarder mon départ et parce que je savais qu'elle voulait une réponse. Je cherchais le téléphone que j'avais allumé avant d'entrer dans la douche pour vérifier l'heure. J'avais dit aux policiers : « J'ai pensé que c'était l'alcool que j'avais bu avant. Plus la fatigue. Que c'était sans doute à cause de ça que je ne trouvais pas. » Je n'avais pas vraiment pensé que c'était l'alcool, je n'avais pas pensé que c'était la fatigue. C'était ce que je *voulais* penser mais au niveau le plus profond de ma conscience j'avais une autre idée, que je détestais mais qui était là, plus enracinée et plus profonde. Je sais distinguer à l'intérieur de mes pensées lesquelles sont les plus vraies et lesquelles je me donne pour me plaire ou me flatter. Même si je me mens. Et je pensais : *Tu as dû poser le téléphone autre part sans t'en rendre compte. Tu as dû le laisser tomber sur ta pile de vêtements sales entassés près du lavabo.* Je crois que je me suis dit que je pourrais trouver le téléphone le lendemain mais que je n'ai pas non plus cru à cette version.

Reda était là, toujours à un ou deux mètres de moi. Je me suis approché de lui pour l'embrasser une dernière fois et en posant mes mains (pourquoi est-ce que j'ai posé ma main dessus ?) sur son manteau tiédi par le radiateur à côté duquel il avait été accroché j'ai senti une forme dure et rectangulaire. J'ai vu, dépassant de son manteau, gris et brillant, l'angle métallique de mon iPad. Je n'avais pas remarqué sa disparition. J'ai tourné la tête vers la table sur laquelle il était censé être posé. Il n'y était plus.

« Ce qu'il a pensé c'est que c'était logique qu'il vole quelque chose. Reda. Alors tu m'étonnes que j'ai répondu. Je pouvais quand même pas laisser passer ça, j'ai répondu Ah et en quoi tu peux m'expliquer ? Là j'étais en colère. J'ai dit Il y a un truc que je pige pas parce que voler quelqu'un franchement j'arrive pas à trouver ça logique. J'ai beau réfléchir excuse-moi je trouve pas. Je trouve pas. J'ai beau me creuser la tête. Ils me dégoûtent, c'est tout, ces gens-là, les voleurs *(ça aussi c'est une de ses obsessions, elle a*

grandi dans une famille sur laquelle planaient et
planent depuis longtemps des doutes quant à l'honnê-
teté des individus, à cause des ennuis avec la justice
qu'avaient eus plusieurs de nos cousins et même
notre grand frère, et elle a développé en réaction une
sorte d'éthique anxieuse de l'honnêteté et de penchant
pour les jugements les plus sévères, comme pour éloi-
gner les réalités qu'elle sent trop proches d'elle).

« Et il m'a dit : Peut-être pas juste. Je dis pas juste.
Non, il me dit Je dis pas juste mais logique, si vraiment il ramait à faire des petits travaux à droite à
gauche et à gagner des malheureux billets cornés et
des billets pourris grâce à des petites réparations de
rien du tout et pis si il galérait à presque réclamer à
des connaissances ou des amis de pouvoir faire des
travaux chez eux. Tu vois, à insister et à s'humilier,
parce que c'est une humiliation. Tu vois le genre :
T'as pas un peu de boulot à me filer ou Tu connais
pas quelqu'un qui a besoin d'un petit coup de peinture. Alors quand Édouard il a vu que Reda il avait
volé, il s'est dit que lui dans la même situation il
aurait fait pareil. Il aurait sûrement pas été mieux. Et
qu'au final c'est de rien voler qui n'aurait pas été
logique.

« Je l'ai jamais dénoncé à nos parents parce qu'il
aurait pris une raclée. Ils lui auraient foutu une
rouste et faut avouer qu'ils auraient eu raison. Mais
je sais que quand il était plus petit il volait aussi. Il
allait voler quand il avait besoin d'argent *(bien sûr*
son éthique de l'honnêteté s'effrite quand il est
question des membres de sa famille).

« Je le voyais. Il devait pas se rendre compte que je le voyais mais je le voyais. Il partait avec ses copains, ceux de l'arrêt de car. Ils s'en allaient à cinq ou six même dans une voiture de cinq places. En pleine nuit. Il y en a un qui montait sur les genoux d'un autre et c'est tout, c'était réglé. Alors ils se serraient et ils ouvraient les vitres parce que six personnes dans une voiture je sais pas si t'as déjà essayé mais c'est l'enfer, ça fait une buée du diable trop épaisse. Tu suffoques. C'est comme si que tu te retrouvais bloqué dans une boîte de conserve. Et tu peux plus rien voir de l'autre côté du pare-brise. Bon.

« Ils partaient avec un marteau chacun. Édouard, il piquait le marteau rouge de notre père dans l'établi. Je remarquais qu'il allait dans l'établi de plus en plus souvent avec un sac à dos alors que c'était franchement pas un endroit où il avait l'habitude de traîner, non. Il était plutôt du genre à traîner dans la salle de bains si tu vois ce que je veux dire. Mais moi je me suis rendu compte qu'il a commencé à y aller le soir après les informations de la Une pendant qu'on débarrassait la table alors qu'il avait toujours adoré ça les infos. Et puis je me suis dit : Tout le monde sait qu'on ne va pas dans un établi avec un sac à dos. Je me suis tout de suite fait la réflexion qu'il y avait un truc louche qui se tramait et qu'il cachait quelque chose. J'ai du flair.

« Un jour discrètement je l'ai regardé. J'étais cachée derrière le rideau et pis j'ai attendu qu'il sorte de l'établi. Je pensais : Tu vas voir toi, tu vas voir. Tu vas apprendre ce que c'est que de jouer au con. Tu vas voir. Tu m'étonnes que je me cachais bien

104

derrière mon rideau. Je regardais à travers les mailles sans toucher le tissu pour pas être repérée. Je pensais à tout. Un rideau qui bouge tu peux être sûr que ça te trahit dans la seconde, surtout ces rideaux-là. Je respirais doucement aussi, pour pas que le rideau se mette à bouger de la faute de mon souffle. Qu'il tremble pas. Et alors ensuite j'ai été dans l'établi. J'y avais fait un tour la veille pour bien repérer ce qu'il y avait et comment les objets ils étaient disposés sur la table et sur les murs. J'avais bien préparé mon coup. C'est comme ça que je me suis rendu compte que c'est le marteau qu'il prenait, et j'ai commencé ma petite enquête et j'ai compris vite.

« Il aurait été fou. Notre père. Il aurait été fou de rage si il l'aurait su parce qu'on vole pas le marteau d'un homme. C'est sacré un marteau pour un homme. Mais aussi au final je suis certaine que même si il aurait été fou de rage parce qu'il disait que le vol c'était la pire des choses et que c'était bon pour les voyous de la ville et pour les fainéants et qu'il voulait pas de ça sous son toit, je suis certaine qu'en même temps il aurait pas pu s'empêcher de voir ça comme une bonne nouvelle. Sans l'avouer. Il l'aurait jamais avoué c'était quand même sa fierté de père je comprends il pouvait pas dire ça mais peut-être qu'il aurait été soulagé parce qu'il aurait pensé qu'en faisant ce qu'il faisait il était devenu un homme, Édouard. Un dur. Et même si il aurait hurlé et qu'il aurait mis la pire raclée de sa vie à Édouard, et qu'Édouard il aurait douillé pendant un rude moment, je suis certaine qu'il aurait pas pu s'empêcher d'avoir un petit sourire en coin en l'apprenant et même après pendant qu'il lui aurait mis une rouste, parce qu'il se serait dit : Édouard est enfin devenu un homme en allant voler, et en désobéissant à son propre père. Et il se serait dit qu'il avait enfin franchi le pas. Qu'il avait enfin fait quelque chose de dangereux, comme un homme. Depuis le temps qu'il attendait. Il aurait pu penser les deux choses en même temps je vois pas pourquoi ça serait pas possible, y a pas de raison. Et c'est pour ça que je suis certaine qu'en mettant une volée à Édouard il aurait pas pu s'empêcher d'avoir un petit sourire au coin de ses lèvres. Mais on ne saura jamais puisque je l'ai pas dénoncé, alors il y a eu ni raclée ni sourire en coin. Mais bref.

« C'était pour le protéger que je me taisais. Je voulais pas qu'il lui arrive des bricoles. Même si je trouvais ça mal, je suis pas comme ça, je dénonce pas les autres. À ce temps-là il avait encore du lait au bout de son nez donc je me disais Attends un peu ça lui passera comme ça lui est venu, comme une envie de pisser. Il devait avoir quatorze quinze ans et les autres ils devaient avoir à peu près le même âge, peut-être un ou deux ans de plus. Il y avait que Brian qui était plus vieux qu'eux et qui avait une voiture parce qu'il était majeur. Il prenait sa voiture à lui. Il embarquait les autres et je sais qu'ils fonçaient comme des malades en voiture jusqu'à une décharge. Ils auraient pu avoir un accident ou faucher quelqu'un dans la nuit mais ils pensaient qu'à eux les égoïstes, ils fonçaient. Tu les voyais de loin si tu voulais. Il suffisait de le savoir parce qu'ils étaient presque les seuls à rouler à cette heure-là, à l'heure que tout le monde dort. Quand j'ai su, je regardais de ma fenêtre la voiture s'éloigner là-bas avec les vitres ouvertes vers les champs de maïs qui appartiennent au père Bailleul. Je voyais la lumière de la voiture devenir de plus en plus petite jusqu'à ce qu'elle disparaissait complètement derrière les bois, et le bruit aussi qui devenait de plus en plus invisible.

« Ils partaient. Ils s'habillaient avec des couleurs sombres et ensuite ils escaladaient les grilles de la décharge. Je sais qu'ils se faisaient la courte échelle pour passer et qu'ils prenaient une pince-monseigneur pour défoncer le cadenas, avec seulement la lune comme éclairage. Juste la lune. Ils revenaient avec les habits tout dégueulassés. Il conduisait mal Brian parce qu'il a eu son permis à l'armée et que là-bas c'est vraiment du n'importe quoi ils donnent le permis de conduire à n'importe quel nazu. Et qu'est-ce qui aurait arrivé si il y en a un qui serait tombé en escaladant la grille ou qu'il se serait empalé dans un pic comme il y en a au-dessus de certaines barrières ? Des histoires comme ça il y en a tout le temps, tous les jours dans le journal. Ils auraient eu l'air intelligents. Il y a des morts bêtes des fois.

« Mais tout finit toujours par se savoir. Je sais aussi que Brian il vérifiait avant que ce n'était pas une décharge surveillée et qu'il n'y avait pas d'agent de sécurité, pas de chien surtout. C'est ça qui aurait été le pire, des chiens. Ils prenaient pas de lampes. Ils se servaient de la lune. Ils attendaient les jours de pleine lune pour se lancer (*j'ignore comment elle connaît tant de détails*). Et alors dans la décharge ils volaient à peu près tout ce qu'ils trouvaient, des machines à laver ou des appareils électroménagers.

Ils les portaient à plusieurs et ils les mettaient dans le coffre et après ils rentraient aussi vite qu'ils étaient partis. Moi j'aurais voulu être là pour pouvoir leur crier Allez, courez aussi vite que vous êtes bêtes, ah ça m'aurait fait plaisir, tu me connais. Ils rangeaient ce qu'ils avaient volé dans le hangar à bois de Brian entre sa maison et le pré derrière. Le lendemain – Édouard il restait souvent dormir chez Brian sur son lit de camp dans le salon – le lendemain ils prenaient les marteaux et ils démontaient ce qu'ils avaient récupéré. Ils allaient le revendre à un ferrailleur pas trop loin d'ici. Ce qu'ils préféraient c'était le cuivre qu'il y a dans certains appareils bien sûr, ça coûte plus cher. Les bobines de cuivre ça coûte une blinde.

« Et ils auraient pu se faire prendre. Ils auraient pu mal finir et je me demande pourquoi c'est pas arrivé c'est un miracle franchement, surtout avec le bruit que ça faisait quand ils fracassaient la carcasse de la machine à laver avec les marteaux. Essaye un peu de prendre un marteau et de taper sur le tambour d'un lave-linge tu verras. Ça résonnait dans toutes les rues d'à côté. Les voisins ils se demandaient ce qui se trafiquait, parce que ça leur paraissait pas normal tout ce bruit. Ils me l'ont dit quand j'ai entamé ma petite enquête, et j'ai dit au voisin pour les couvrir : Oh c'est rien c'est un projet pour l'école, vous savez maintenant on leur fait faire n'importe quoi à l'école. Ils savent même pas encore lire ni compter qu'on leur fait déjà faire les zoulous avec des microscopes pis tout le bordel.

« Mais il le faisait moins souvent que les autres Édouard. Parce qu'il était trouillard et parce qu'une fois ils avaient eu des problèmes pour une autre histoire qui avait mal tourné. Ils s'étaient fait attraper à cause d'un cambriolage qu'ils avaient mis en place et qu'ils avaient préparé avant ensemble, la même bande, d'ailleurs entre eux ils s'appelaient la Bande. Édouard il sortait de la maison après quand on avait fini de manger, et il prévenait : Je vais rejoindre la Bande à l'arrêt de bus, et je me disais en moi La Bande la Bande, du calme, si vous croyez que vous êtes impressionnants à cinq campagnards sur vos mobylettes rouillées pis pleines de bouse de vache ou votre vieille bagnole rafistolée achetée d'occasion dans le bled d'à côté à votre cousin qui a eu pitié de vous vous vous trompez. Vous êtes pas à Chicago ici. Vous impressionnez personne. Mais un jour ils ont été trop loin.

« Ils étaient rentrés par effraction dans la maison d'une fille du village, pour la cambrioler. Ils avaient profité qu'une fille elle était amoureuse d'un des garçons de la Bande. Elle lui courait après depuis un petit moment déjà. Elle en était folle même, c'était plus de l'amour, c'était de la rage, sauf qu'elle avait du mal à lui parler en face parce qu'il était toujours avec d'autres garçons, jamais seul et que les autres ils se seraient moqués d'elle si elle était venue lui parler quand il était avec eux. Ils l'auraient charriée, Tiens tiens il y a de la galinette cendrée qui s'approche, Attention galinette cendrée à cinq heures. Leurs expressions. Ils savent même pas parler normalement. Alors apparemment il se passait rien, mais elle elle restait amoureuse.

« Et là ils ont eu leur idée à la con.

« Je t'explique. Ils lui avaient dit, à celui qu'elle aimait : Tu vas la voir, tu lui fais croire que t'as envie de tremper le biscuit et tu l'emmènes dans la chambre, en haut. Ma main à couper qu'elle va te suivre dans la chambre à peine la question posée parce qu'elle a bien envie de se faire décapsuler la Constance, honnêtement ça se voit de la manière qu'elle te mate depuis au moins un an, elle est pas discrète. Nous pendant ce temps-là on rentrera en bas sans faire de bruit, attention à ce qu'elle laisse bien la porte d'entrée de la maison ouverte, et pis on emportera le plus de matériel possible. Et on partagera.

« La fille, Constance, elle avait marché facilement. Elle était amoureuse la pauvre. C'était facile. Alors ce soir-là ce qu'ils font c'est qu'ils rentrent chez elle et ils se retiennent de ne pas exploser de rire tellement ça les amusait de faire ça. Ils remplissent leurs sacs à dos et qu'est-ce qu'ils prennent ? Est-ce qu'ils auraient pris les bijoux, les choses qui ont de la valeur ? Non, ce serait les surestimer, et faut pas les surestimer. Ils ont embarqué son lecteur DVD, sa PlayStation, les jeux qui allaient avec, et ils ont tout mis dans des sacs à dos et ils sont sortis sans faire de bruit, sans claquer la porte pendant que la Constance elle était avec le garçon à l'étage du dessus en train de faire des bricoles. Ils sont partis en courant. Ils ont été dans le jardin de Steven, Édouard il me l'a dit, il m'a jamais dit pour la ferraille mais ça il me l'a raconté, et ils ont dansé en rond autour des objets volés, t'imagines la scène toi, ils chantaient et pis ils se prenaient dans les bras des uns des autres, et ils étaient assez idiots pour être fiers et du coup pour penser avoir fait le casse du siècle, et pour penser être des caïds, et pour penser être devenus des vrais hommes pour ce qu'ils avaient fait. Alors ils ont continué la fête, toute la soirée. Ils ont ouvert des bières et ils se faisaient des compliments pour avoir volé – même pas des bijoux ou un vélo comme je te disais, non, mais les Pokémon sur PlayStation ou je sais pas trop quoi, *Harry Potter*, et j'aimerais bien te dire : Ils se félicitaient pour un jeu qu'ils auraient même pas joué avec, mais ils étaient assez bêtes et immatures pour jouer à des jeux comme celui-là et pis pour passer des journées ensemble devant la télé pour jouer à un jeu comme celui-là. Aussi idiots. Mais ce qu'ils attendaient pas, c'est que la fille a tout compris – et comment elle aurait pu tout deviner ? Ils soupçonnaient le garçon de tout lui avoir avoué parce qu'ils croyaient qu'il était vraiment amoureux d'elle, même si pour faire le malin devant ses copains il disait qu'il avait juste envie de se la faire, la Constance, et qu'il était pas du tout amoureux d'elle. Ils pensaient que quand elle avait vu que ses affaires elles avaient disparu, qu'elles s'étaient carrément envolées elle s'était effondrée en pleurs, qu'elle avait fait une crise de larmes et qu'elle avait paniqué en disant que ses parents ils allaient la démolir, et que l'autre, comme il en était amoureux, il a pas supporté de la voir pleurer et qu'il l'a prise dans ses bras et qu'il a balancé ses copains en lui disant la vérité et en lui faisant promettre de ne jamais dire que c'était lui qui avait dénoncé les autres *(nous n'avons jamais su, mais c'était l'hypothèse la plus plausible).*

« Le soir même elle a prévenu la gendarmerie en donnant les noms, et le lendemain, ils ont dû tout rendre et s'excuser. Édouard il était dans un état de panique pas possible. Il était pas fier. Il était comme un zombie toute la journée en pensant qu'il pourrait avoir des ennuis avec la justice et qu'il aurait un casier judiciaire qui l'empêcherait de devenir instituteur, c'était son rêve.

« Mais ils étaient plutôt arrangeants les schmitts parce qu'ils les connaissaient bien. Ils étaient d'accord pour oublier ce qui s'était passé si ils rendaient tout. Tout jusqu'au dernier jeu. Et après ça Édouard il avait de plus en plus peur et quand la nuit sa bande elle partait avec les marteaux, il y allait de moins en moins parce qu'il arrivait pas à oublier sa peur, impossible. Il allait de moins en moins dans l'établi. Et quand il a vu que Reda avait pris ses affaires il s'est dit que c'était pas si grave que ça, je veux dire que c'est pas comme si ça lui paraissait impossible ou aberrant ou extraordinaire de voler, il avait vu d'autres le faire, pas seulement sa bande de zouaves, un exemple notre grand frère aussi il avait eu des emmerdements en volant au supermarché, donc Édouard il connaissait bien ça. C'est arrivé des milliards de fois, et pis à chaque fois, la même chose ; les schmitts ils venaient taper à la porte et notre mère elle ouvrait, et déjà rien qu'à la tête qui faisaient les gendarmes elle avait compris la raison de ce qu'ils faisaient ici. À la manière qu'ils se tenaient les mains et la manière gênée qu'ils enlevaient leur casquette et pis tout, parce que bon ils la connaissaient notre mère, depuis toujours. Ils avaient grandi dans le même village, ils se croisaient au café ou à la maison de la presse, et ils étaient gênés d'être obligés de lui apporter des mauvaises nouvelles. »

Elle comprenait, avant même qu'ils aient dit un mot. Et déjà elle s'emportait ; « Ah c'est pas vrai qu'est-ce qu'il a encore fait celui-là, mais brun, il me foutra jamais la paix il va continuer jusqu'à que j'y reste à cause d'une crise de nerfs, quel malheur, quel malheur d'avoir une vache et pis pas de beurre » ; et donc les gendarmes lui disaient sans surprise : « Votre fils », ou pas « Votre fils » mais directement son prénom puisqu'ils le connaissaient depuis ses premiers jours au monde, depuis ses premiers pas dans les rues du village et que leurs enfants avaient grandi avec lui et étaient allés dans la même école que lui, dans le même collège puis le même lycée avant qu'il abandonne, tandis que leurs enfants à eux continuaient un peu plus longtemps puisqu'ils étaient enfants de gendarmes, souvent pour devenir gendarmes à leur tour, comme si l'alternative pour ces enfants qui avaient grandi ensemble avait été de devenir voleur pour se faire arrêter par les anciens amis devenus gendarmes ou de devenir gendarme afin d'arrêter les anciens amis qui volaient. Ils lui disaient : « Votre fils a été arrêté le sac plein de marchandises et surtout de bouteilles d'alcool au supermarché Carrefour », et ma mère qui était désolée, et disait : « Je sais bien je sais bien c'est pas la première ni la dernière je crois bien malheureusement, je serai entre quatre planches six pieds sous terre qu'il continuera encore, ah, quel malheur, écoutez il payera pour ce qu'il a fait et c'est tout, qu'est-ce que je peux y faire j'ai honte. J'ai plus rien à faire d'autre que d'avoir la honte. » Et finalement, puisque de toute façon elle ne pouvait pas l'en empêcher, qu'elle était consciente de son impuissance face à mon frère et qu'elle savait qu'il allait recommencer, et que quoi qu'il fasse elle lui pardonnerait, voyant dans tous ses actes de délinquance le dernier avant son assagissement et une transformation totale et radicale, elle prenait le parti d'en rire. Avant d'en rire, quand il était encore temps pour la gravité, son entourage lui disait que le comportement de son fils, mon grand frère, ses vols et le reste étaient inacceptables, et qu'elle ne pouvait pas continuer à lui donner de l'argent – l'argent qu'il lui réclamait, qu'elle n'avait pas et qu'elle faisait tout pour trouver quand même et lui donner. Elle disait : « Je peux quand même pas laisser mon gosse crever de faim », même si on l'avertissait qu'avec cet argent il achèterait de l'alcool, qu'avec cet alcool il serait saoul et incontrôlable, et qu'à cause de cet état d'ivresse qui était devenu son mode de vie il irait voler d'autres bouteilles dans les supermarchés. Et que le cycle reprendrait. Mais chaque fois elle prétendait que ça n'aurait plus jamais lieu et que c'était la dernière fois. Elle disait que son fils avait changé, qu'il n'était plus le même, elle répétait : « Là ça y est je crois que l'alcool c'est fini pour lui il a changé. » Et il ne changeait pas. Il recommençait. Et elle redisait : « Là, c'était la dernière fois, après celle-là, l'alcool, ce sera fini pour lui, il m'a juré qu'il arrêtait et là c'est la bonne, je le sens que

114

c'est la bonne je le connais c'est quand même mon gamin je sais qu'il buvra plus jamais un verre. » Puis il recommençait. Je ne sais pas si elle croyait elle-même à ce qu'elle disait, si elle croyait réellement qu'un jour il arrêterait. À force, elle prenait le parti d'en rire, une fois la colère atténuée : « C'est fait c'est fait mieux vaut en rire que braire », et elle riait en ajoutant qu'il était tellement ivre qu'il volait à Carrefour sans prendre aucune disposition pour ne pas être arrêté par les vigiles. Il se donnait le temps de remplir lentement son sac à dos de bouteilles, et elle disait en riant : « Et ce con il prenait même pas les plus chères mais celles à dix balles dégueulasses qu'il avait l'habitude de boire, celles de ce qu'on peut même pas appeler du whisky mais seulement du tord-boyaux ». Elle s'en moquait : « Il laissait bien le temps aux caméras de capter ce qu'il était en train de faire », et elle racontait que quand il sortait du Carrefour, où les alarmes obsolètes ne s'activaient plus au passage des marchandises volées, « il avait mis tellement de bouteilles dans son sac qu'il était comme voûté en arrière, comme un pied-de-biche, comme un manche de parapluie », tellement son sac était lourd et que le sac, elle disait, faisait *cling cling cling*, parce que les bouteilles se percutaient entre elles à l'intérieur et qu'à chaque fois ou presque il se faisait prendre de façon aussi clownesque par les agents de sécurité postés à l'entrée.

« C'est pour ça qu'à mon avis il aurait mieux fait de raconter tout ça à Reda pour le rassurer. Comme ça Reda il aurait su où il était et à qui il avait affaire. Et peut-être que ça se serait passé autrement. Il aurait compris qu'Édouard il était pas si différent de lui parce que bien sûr je parie qu'il a choisi d'aborder Édouard sur la place à cause, pas seulement à cause de ça mais en grande partie à cause de l'allure qu'il avait, Édouard, qui est une allure qu'il s'donne mais qu'il a pas toujours eue. L'ironie du sort quand tu réfléchis. Ça me fait bien rire. Édouard il met un masque et il joue tellement bien son rôle qu'au final ceux qui lui ressemblent ils l'attaquent en pensant qu'il est du camp adverse. Je suis certaine que de raconter ces histoires-là comme moi je te les raconte ça l'aurait rassuré, et ça aurait pu prendre une autre tournure, ça aurait pu se passer autrement (*je crois aussi. Je le crois aussi mais est-ce que ce qu'elle est en train de dire ne contredit pas son hypothèse selon laquelle tout était prévu et immuable, ce qui, je le sais, est faux. J'en ai une preuve dans mes souvenirs, une autre preuve, à savoir la forme qui s'est imprimée sur son visage au moment où j'ai tiré l'iPad de son manteau, le visage qui a pris la place de son visage, je ne m'en souviens pas en détail, je ne pourrais pas le redessiner à l'identique mais je me rappelle très exactement l'idée de son visage, et je peux dire qu'il n'avait rien à voir avec le visage déterminé qu'il allait avoir plus tard, il n'avait rien du visage de la destruction préméditée comme j'ai pu en rencontrer à d'autres moments de ma vie, que je connais. Quand je lui ai pris l'iPad son visage était le visage de l'étonnement, de la peur, et même de la stupidité, mais j'ai beau l'avoir dit à Clara, un visage n'est une preuve pour personne, ni pour Clara ni pour la police*). Mais il a pas fait de commentaire, Édouard. Il aurait dû dire les choses simplement, c'est quand même pas compliqué merde. Si j'aurais été là je l'aurais pris entre mes mains. Je l'aurais secoué et j'aurais dit : Accouche, dis-lui que toi aussi t'as déjà volé dans ta vie et que c'est pas un drame de voler si c'est vraiment ce que tu penses. Si c'est vraiment ce que tu penses. Et même si je ne suis pas d'accord, si c'est vraiment ce que tu penses toi, dis-le. Parle-lui de la ferraille. Mais le problème c'est qu'il aurait fallu le dire tout de suite et Édouard il est lent des fois, il est mou, le moins qu'on puisse dire c'est qu'il a pas été conçu sur un champ de courses. Il a rien dit.

« Alors il tire la tablette de la veste de Reda. Comme si de rien n'était. Il prend l'iPad dans ses mains et pis il le pose sur son bureau. Il dit pas un mot en posant la tablette sur le bureau. Pas un mot. Il me dit : Et à ce moment-là j'espérais que Reda il allait rire d'un seul coup, qu'il allait d'un seul coup rire et me dire que tout ça c'était une blague et que j'avais eu peur pour rien. J'attendais le rire. Il me dit J'attendais et je me disais Allez ris Reda, ris. Un petit rire, qu'est-ce que c'est. Mais il ne riait pas.

« Donc qu'est-ce qu'il fait ? Il demande à Reda si il a pas vu son téléphone. Il a pas dit : Tu as pris mon téléphone, non, dans son souvenir il a dit, exactement : T'aurais pas vu mon téléphone. Tu m'as pas vu le poser autre part, à tous les hasards, il était dans ma poche, je l'ai vu, c'était il y a cinq minutes. Je m'en suis servi avant la douche et il n'est plus dans la poche maintenant, je suis telle-ment maladroit, ça doit être moi, je sais pas où je l'ai foutu *(de jour en jour je suis moins sûr de cette phrase, peut-être que je lui avais effectivement dit : Tu as mon téléphone, ce qui aurait signifié l'accuser à un moment où je n'étais sûr de rien, d'avoir trouvé la tablette dans son manteau ne voulait pas dire que le téléphone se trouvait dans ses poches. Je n'ai pas eu le courage de dire à Clara que c'était peut-être ce que j'avais dit).* Et l'autre, il s'est énervé *(non, il ne s'était pas énervé immédiatement, il y a justement eu ce premier mouvement où il s'est montré hésitant et balbutiant, elle oublie d'en parler)*, il a demandé à Édouard si Édouard il l'insultait de voleur, si il le traitait de voleur et Édouard il lui a répondu : Non, mais pourquoi tu t'énerves comme ça ? Et c'est vrai que s'énerver c'était pas très intelligent, c'était pas la façon de réagir la plus futée. C'était comme d'avouer qu'il était coupable. Il y a que la vérité qui blesse. Alors Édouard, il lui faisait Si c'est toi qui l'as tu peux me le rendre et on oublie, c'est pas grave on oublie, il disait qu'il voulait juste récupérer son téléphone, C'est juste mes photos de vacances avec mes deux amis Didier et Geoffroy. Il a d'un coup d'un seul fait une fixation sur ses photos de vacances, sur ses souvenirs, le même genre que sa fixation de rentrer chez lui quand il avait rencontré Reda sur la place de la République.

« Alors il s'est dit : Je dois reprendre mes photos. Et pendant qu'il y pensait il s'acharnait à calmer l'autre, en souriant, en faisant des gestes doux et pis en s'agitant gentiment, poliment, bon. Mais l'autre il était chaud comme la braise. Pas possible de l'arrêter si facilement, impossible, pas comme ça en tous cas.

Et Édouard, quoi ? Plutôt que de lâcher l'affaire, plutôt que d'abandonner et plutôt que de le laisser s'en
aller, d'aller ouvrir la porte pour le laisser partir, il le
supplie *(l'entendre le dire me révèle encore plus
violemment le ridicule de mon comportement)*, pendant que Reda il criait, il devenait de plus en plus
agressif et Édouard il le suppliait au lieu de partir ou
au lieu de le laisser partir alors que c'était sûr que si
ils se battaient l'autre il allait lui mettre une taule,
Édouard il est épais comme un carrelet, mais il suppliait. Il suppliait : Si c'est toi qui as le téléphone je
t'en voudrai pas, je peux comprendre – il était trop
tard pour dire ça, c'est clair qu'il était trop tard,
Édouard il comprend vite mais il faut lui expliquer
longtemps – alors qu'est-ce qu'il fait ? il parle et il
parle, il lui dit : Qu'on prenne un téléphone, je
comprends, moi aussi j'aurais pu le faire, bien sûr je
comprends je sais pas, avec l'excitation ou l'adréna-
line de voler, ou si t'as des problèmes d'argent, il n'y
a pas de soucis – et il s'arrête pas, il s'arrête pas, il
parle – Je veux juste que tu me le rendes et on oublie,
on se revoit demain comme prévu, on mange à deux
et on parle plus de ça et on se revoit encore le lendemain et on parle pas de ça non plus, et Édouard il lui
dit : On oublie et on oublie qu'on a oublié, cette
phrase-là, moi j'ai pensé Même devant l'autre il a
pas pu s'empêcher de sortir de son vocabulaire, de
parler avec son vocabulaire de ministre, c'est plus
fort que lui, ça devait mettre l'autre encore plus en
rogne, et il lui dit, Si tu veux on fait comme si ça
avait jamais existé, ça n'a pas d'importance. On
oublie. »

Reda se figeait en m'écoutant. Il ne disait plus rien.

« Mais c'était trop tard, Reda, il l'écoutait plus, et il grimaçait, et il gueulait Qu'est-ce que tu me parles ? Qu'est-ce que tu me parles ? et il était tellement énervé qu'il y avait de la bave propulsée sur le front à Édouard, et Édouard il avait la bave qui recouvrait son visage, ou de la morve, ou les deux, il avait la bave qui humidifiait son visage entièrement, tu vois le truc, et qui lui faisait partout des petites gouttes brillantes dessus, et l'autre il disait Qu'est-ce que tu me parles, il braillait, et le visage d'Édouard il luisait de sa bave. Moi, j'en aurais vomi. Et Édouard, tu peux croire ça ? Il l'a redit. Encore une fois, il l'a redit, comme si que c'était une vraie question, il a fait : Je crois que tu as pris mon téléphone – maintenant il le disait, directement – comme si que Qu'est-ce que tu me parles, c'était une vraie question, je te jure. Il a répondu à Qu'est-ce que tu me parles, il a répondu à ça alors tu m'étonnes que quand il l'a raconté j'ai dû encore une fois me retenir de pas rire, ça avait beau être grave je suis désolée. C'était tellement fou que j'ai senti que j'allais rire et que j'ai pensé Mais comment on peut être aussi débile pour répondre comme si c'était une question. J'ai fait semblant de me gratter la lèvre avec la dent en écartant les lèvres pour cacher mon sourire et pour faire croire que c'était pas un sourire mais que c'était juste une mimique parce que je me grattais la lèvre avec la dent, bon. Je me moque aussi parce que je sais ce qui est arrivé après. Je connais la suite. On regarde le passé avec les yeux du lendemain et pis on se dit qu'il aurait dû faire les choses comme ça plutôt que comme ça. Mais c'est parce que je connais la suite que je fais la maligne, c'est vrai. Je ris parce que je sais que Reda c'était un violent, le genre qui a le sang qui chauffe vite et qu'avec les gens violents il faut mieux réagir autrement, ou s'enfuir. Mais c'est vrai que pour l'instant il l'était pas tant. Il criait c'est tout.

« Justement il haussait sa voix. Il disait encore, comme si que c'était la seule phrase qu'on lui avait appris de toute sa vie, la seule *(…)* : Tu dis que je suis un voleur, moi je suis pas un voleur tu insultes ma mère en disant ça, tu manques de respect à ma mère *(c'est typiquement dans ce genre de répétition anxieuse qui durait beaucoup trop qu'apparaissaient les fulgurances et les stigmates de l'improvisation ; ce qui s'est reproduit – l'improvisation – à la toute fin de la nuit, quand, après tout, le viol, la strangulation, couvert de sang j'ai réussi à le chasser de chez moi, que Reda est revenu à ma porte, qu'il a collé son visage contre la porte, je l'entendais faire, j'entendais sa barbe gratter ma porte, glisser sur ma porte, et qu'il avait demandé : Tu es sûr que tu veux que je parte ? Je suis désolé. Pardon)*, bon, et Édouard, il m'a dit aussi qu'il avait un brin d'énervement dans sa voix, sa propre voix, et qu'il arrivait pas à le cacher, à le réprimer comme on dit, peut-être que Reda il l'entendait et que comme il l'entendait du coup ça empirait la situation, cette voix, la voix énervée d'Édouard, c'est dur à expliquer, sa voix énervée parce que justement il insultait pas Reda de voleur et qu'il était agacé à force que l'autre le répétait, et même, au fond de lui, blessé, c'est ca, blessé. Il était blessé que Reda il crie Tu m'insultes de voleur. Il se sentait vexé parce que c'était justement le contraire, justement il venait de le dire mille fois. Il voulait pas le traiter de voleur, ce qu'il était en train de lui expliquer c'est que ça faisait pas de lui un voleur, de lui avoir pris l'iPad et je sais pas quoi, et il lui disait un peu irrité, Mais non – avec j'imagine la voix que t'as quand tu viens de répéter mille fois à ton gosse la même chose et que ton gosse te repose la même question comme les gosses ont le chic pour le faire – Mais non, justement je viens de te dire que t'étais pas un voleur.

« Mais l'autre il écoute plus rien. Il continue à parler tout seul : Tu manques de respect à ma mère, tu m'insultes, tu l'insultes, et il prononce des mots qu'Édouard comprend pas. Il comprenait rien. Et Édouard dit : C'est pas grave, c'est pas grave, et Reda, T'insultes ma mère, t'insultes ma famille, chacun dit sa phrase de son côté.

« Il a tendu le bras. C'est là, il tend le bras et Édouard qu'est-ce qu'il fait ? il reste sur place comme une quille. Reda il attrape l'écharpe et il la met autour du cou d'Édouard en un rien de temps. Édouard peut plus bouger. Il est soumis comme un cheval que tu enfourches pis qui d'un seul coup se met à t'obéir et à faire tout ce que tu veux, et l'autre, il enroule l'écharpe et il serre, il serre, il serre, et Édouard, il respire plus. Il criait, Reda. Édouard il avait l'écharpe autour du cou et l'autre, il serrait. »

Elle s'interrompt. Son mari ne dit rien. Je songe à m'incliner prudemment pour observer à travers l'espace béant laissé par la porte ouverte mais je redoute de faire grincer le parquet, alors je ne le fais pas. Je ne bouge pas.

« Excuse-moi. »

Elle s'éclaircit la gorge.

« Sur le coup il croit pas que c'est grave. Je veux dire quand il lui met l'écharpe autour du cou et qu'il serre, la seconde où il la met, il ne se dit pas tout de suite qu'il se passe quelque chose de grave. Et pendant disons une seconde, mais une seconde pendant laquelle on a le temps de penser à un million de choses – à moins que c'est quand on y repense après coup qu'on se met à se persuader qu'on a eu le temps de penser à un million de choses ma mère elle m'a fait remarquer quand je lui ai raconté –, Édouard il prenait pas au sérieux l'étranglement. Il ne pouvait pas y croire. Parce que déjà qu'il considérait pas Reda comme un voleur, alors encore moins comme quelqu'un qui pourrait tuer *(il est concevable que je n'aie même pas pensé qu'il n'en était pas capable et que je ne pensais rien, seulement rien, que je ne voyais rien défiler sous mes yeux, ni réflexion, ni souvenir, que mes mains s'agrippaient seules à l'écharpe, que c'était un refus purement physique de la mort. On dit qu'on ne peut pas sortir du langage, qu'il est le propre de l'être humain, qu'il conditionne tout, qu'il n'y a pas d'ailleurs, d'extérieur du langage, qu'on ne pense pas d'abord pour ensuite organiser ses pensées par le langage mais qu'il n'y a de pensée que par lui, qu'il est une*

123

condition, une nécessité de la raison et de la vie
humaine, si le langage est le propre de l'homme
alors pendant ces cinquante secondes où il me tuait
je ne sais pas ce que j'étais). (Et par un étrange
renversement aujourd'hui c'est le contraire, l'exact
contraire, il ne me reste plus que le langage et j'ai
perdu la peur, je peux dire « j'avais peur » mais ce
mot ne sera jamais qu'un échec, une tentative déses-
pérée de retrouver la sensation, la vérité de la
peur.) La première seconde il s'est dit que c'était un
homme juste un peu brutal dans ses gestes, mais il a
pas pensé que c'était plus sérieux que ça. Il a été
élevé à la dure lui. Comme nous. C'est pas non plus
juste une écharpe autour de son cou qui allait lui
faire peur. Juste un morceau de tissu autour du cou.
Et il a dû penser que c'était une blague, ou pas une
blague je m'exprime mal mais disons un avertisse-
ment, plus ou moins, un geste pour faire le dur et
pour impressionner son monde comme les hommes
ils peuvent le faire, par bêtise. Pour lui faire la fermer et pis pouvoir se sauver avec le téléphone, tu
vois, prendre le téléphone et se barrer tranquillement. Descendre les escaliers et partir en courant et
être sûr qu'Édouard n'appellerait pas les schmitts.
Bon.

« Jamais je pourrais dire ça devant lui. Il supporte
pas des phrases comme celles-là. On sait jamais
comment le prendre avec ça sans qu'il se fâche et
sans qu'il tourne son nez, et sans qu'il dise que c'est
faux et que c'est du grand n'importe quoi. C'est trop
délicat.

« Alors comme je sais que ça provoquerait une tempête je le garde pour moi. Je dis rien. Mais il n'y a pas de doute que si il a été comme ça ce soir-là, aussi imprudent, c'est aussi parce qu'il a été élevé à la dure et qu'il a trop appris à ne pas avoir peur. Et parfois ça réapparaît, il peut dire tout ce qu'il voudra, ça reste. Il a moins changé que ce qu'il veut faire paraître. Je sais que j'ai raison. Je vois bien que quand il vient ici pour nous rendre visite les premiers jours quand il arrive et qu'il pose ses affaires dans la chambre il fait des manières sur tout. C'est comme si il voulait à tout prix nous montrer qu'il était plus comme nous mais qu'il était différent et qu'il était devenu différent. Trop bien pour nous. Quand il arrive ici je le soupçonne de faire encore plus de manières que quand il est avec ses amis, Didier et Geoffroy, sur Paris. Je suis sûre qu'à Paris il est plus détendu que ça et qu'il fait pas autant de manières et de chichis que quand il est là, des manières sur tout, il arrive et il veut pas manger de viande parce qu'il dit que la viande le dégoûte ou alors il se lave les mains toutes les cinq minutes après avoir caressé le chien comme si que mon chien il avait la gale ou des puces alors que mon chien je suis désolée il est plus propre que ce qu'on sert à manger dans les restaurants en ville, toutes ces manières des gens de la ville qui me tapent sur le système, il les prend. Mais je me rends bien compte qu'au bout de deux jours c'est plus pareil, plus du tout. Il fait de moins en moins de manières et tout s'estompe. Il s'adoucit, il se remet même à dire des phrases en picard. Il dit plus Ça va, mais Cha-vo-ti ?, même hier après le repas il a dit *Chétouaite fin bouen*, même si il le disait en riant il l'a dit, il dit plus tomber mais il dit tchér, et il réapprend à rire quand une femme, n'importe qui, elle va aux toilettes et qu'elle dit Je vais secouer ma salade, tout ce qu'il disait avant quand il était pas fier et donc il rit alors que les premiers jours il dit que des expressions comme ça il ne veut plus les entendre. Que ça le faisait rire quand il était enfant et que ça fait rire que les enfants mais que lui ça lui coupe l'appétit maintenant. Que c'est son passé. Peut-être que c'est pour ça qu'à chaque fois il veut partir aussi vite. Je crois qu'il veut partir vite de peur de redevenir comme avant pour toujours. Mais bref ce soir-là il était comme il était à cause de ça. Parce qu'il avait été élevé comme nous, à pas se laisser faire et que si il avait été un gosse de riche sûrement que ça ferait déjà bien longtemps qu'il se serait enfui, c'est pas sûr mais c'est possible.

« Mais après quatre ou cinq secondes avec l'écharpe autour de son cou il a fallu comprendre. Il a bien dû accepter que c'était pas un geste violent et que c'était pas une mise en garde ou quoi comme il avait d'abord pensé. Que c'était pas un numéro de dur mais que c'était un meurtre. Il était en train de le tuer, l'autre. Il a compris qu'il allait mourir là dans sa chambre le soir de Noël, et Édouard m'a dit qu'en y repensant, à ce moment-là, à ce qui s'était passé, il avait comme l'impression de regarder une photo où il voit Reda, debout en face de lui, et lui-même, Édouard, assis sur le bord de son lit où l'autre il l'avait forcé à s'asseoir, sans lui ordonner Assieds-toi mais seulement en avançant vers Édouard pour l'étrangler, Reda il l'avait forcé à s'asseoir sur le bord du lit, je veux dire, puisqu'il avait pas eu d'autre choix que de reculer quand l'autre il s'est avancé vers lui avec l'écharpe dans ses mains, et il avait fait un geste de recul et il s'était assis. Pis il a enfin pensé : Il m'étrangle. »

Cette prise de conscience de ce qui était réellement en train d'arriver avait eu lieu mais pourtant le sentiment d'irréalité persistait, et même après, en trois secondes, les trois secondes qui avaient suivi la strangulation le souvenir s'était vidé de sa réalité comme on vide un œuf par un trou percé à son extrémité ; la première seconde le souvenir s'était comme daté d'une heure, il avait été, pour une raison qui m'échappe, comme transféré, renvoyé, projeté une heure avant, la seconde suivante j'ai pensé que c'était arrivé quelques jours plus tôt, la troisième et dernière seconde que plusieurs années s'étaient dressées entre mon souvenir et moi.

« Il met un coup de pied à Reda, sans le commander. C'est là que sur son cou elles sont apparues, les marques. Les marques violettes *(tu essayais de les camoufler maladroitement avec une lavallière que tu avais achetée à ton arrivée à Paris et que tu avais arrêté de porter depuis longtemps en comprenant que tu étais ridicule. Tu avais emménagé à Paris, c'était il y a quatre ans, et tu voulais bêtement ressembler à un bourgeois pour enfouir ce que tu voyais comme tes origines pauvres et provinciales – ce dont tu avais peur, c'est la peur qui te faisait voir –, mais ta vision de la bourgeoisie était une vision en retard de cent ans, justement à cause de la distance entre toi et ce monde, et tu avais acheté cette lavallière et un costume trois pièces que tu portais à toutes les occasions, souvent avec une cravate, même pour aller au supermarché ou à l'université. Tu enfilais tes vêtements anachroniques chaque matin en révélant par ton attitude angoissée le passé que tu t'acharnais à enterrer ; tu ne te rendais pas compte que les Parisiens et les enfants de la bourgeoisie ne portaient pas ce type de vêtements, pas de lavallière, mais autre chose, polo, jeans-chemise, en tout cas pas lavallière, et que tu ne faisais illusion sur personne. Un jour tu l'as enfin compris, ou plutôt Didier te l'a dit, et tu ne l'as plus portée).*

« Ses tempes, à Édouard, elles palpitaient. *Boum, boum, boum.* Le sang, il lui était monté au cerveau, il se cognait dans sa tête, et l'autre, il recommençait, impossible de l'arrêter : Toi je vais te faire la gueule, toi je vais te faire la gueule, et *boum boum boum*, T'insultes ma mère, je vais te faire la gueule, et le sang, *boum boum boum*. Et c'est ce qui lui faisait le plus peur, les cris *(rien ne pouvait me faire peur autant que le bruit. Depuis ce soir-là je ne peux plus chercher un peu de silence sans penser qu'en vérité je cherche à échapper aux cris, comme si les cris étaient partout, éparpillés, prêts à bondir, qu'ils existaient avant l'arrivée des hommes et que les hommes n'étaient que des instruments inventés pour les pousser).*

« Alors c'était ça le plus urgent, le silence. De le faire taire. Je lui ai demandé ce qu'il avait décidé de faire après le coup de pied, et il m'a dit : J'ai parlé tout bas, et comme je ne réagissais pas et que j'étais là comme une gueuge à attendre parce que je pensais que c'était le début de sa réponse et qu'ensuite il allait me dire ce qu'il avait vraiment fait, il a redit : J'ai parlé tout bas. Et c'était ça, la réponse, sa réponse. Je sais que c'est fou mais c'était : J'ai choisi de baisser le ton, j'avais besoin de moins de bruit donc j'ai fait la seule chose que je n'étais pas en incapacité de faire et qu'est-ce que c'était ? Bah de parler moins fort. Alors j'ai parlé tout bas. Il avait choisi de chuchoter. Il espérait que Reda il allait ajuster sa voix à la sienne, qu'il chuchoterait comme lui, va savoir où il a trouvé une idée aussi tordue. Pendant que Reda il marchait en rond dans le studio et qu'il se tournait vers les couteaux sales dans son évier, il a parié que si il chuchotait Reda ce qu'il ferait c'est qu'il l'imiterait. Il aurait pu attraper un couteau, il criait, il criait, il criait, et à coup sûr il aurait pu le découper, le dépecer. Mais Édouard n'a rien trouvé d'autre de mieux que de baisser la voix.

« Ce que je ne comprendrai jamais c'est que ça a marché. L'imitation. Il revenait vers Édouard et il l'imitait. Il chuchotait. J'ai du mal à avaler ça c'est quand même bizarre, je suis désolée, mais il m'a juré Je chuchotais et je te jure il a chuchoté, il s'est approché de moi, il a marché vers moi et il m'a caressé le bras et il marmonnait, tout bas, comme un gosse que t'endors, et c'est à peine si il pouvait comprendre ce que Reda lui marmonnait tellement sa voix était douce, tellement il était devenu calme, tellement il avait l'air calme. »

Comme Reda s'était avancé vers moi et qu'il chuchotait je me suis levé du bord de mon lit et j'ai dit, dans un élan de témérité – non pas que se lever ou que mes propos en eux-mêmes aient été téméraires, mais le simple fait de me lever et d'oser prendre la parole était à ce moment-là un acte que j'ai vécu comme immensément difficile et téméraire, le seul que je pourrais définir comme courageux ce soir-là, de mon point de vue –, j'ai dit que tout devait s'arrêter. Dehors il faisait toujours nuit. « Il est pas trop tard, tu prends tes affaires et de l'argent si tu veux, tu pars et je ne préviendrai personne, je n'appellerai personne, rien, je le jure, tu rentres chez toi ». Je prononçais des phrases comme celle-là, pauvres, prévisibles, banales, les seules que je trouvais à dire ; « Tu es tellement jeune, si tu commets un geste grave on te retrouvera » ; et je ne prononçais pas le mot *police* mais seulement ce *on* approximatif et imprécis pour le ménager et contourner les mots qui auraient risqué d'entretenir le foyer de sa colère. Je disais : « On retrouve toujours tout le monde, et tu gâcheras ta vie. Tu seras enfermé en prison pour le reste de tes jours, pour toujours, c'est vraiment con, je sais pas si tu imagines ce que c'est la prison. » Mais il s'est éloigné et à nouveau : « Tu vas le payer, je vais te buter moi sale pédé, je vais te faire la gueule pédale », et j'ai pensé : *Voilà pourquoi* – j'ai pensé, je n'en suis plus si sûr aujourd'hui mais quand il l'a dit j'ai pensé : *Il désire et il déteste son désir. Maintenant il veut se justifier de ce qu'il a fait avec toi. Il veut te faire payer son désir. Il veut se faire croire que ce n'était pas parce qu'il te désirait*

que vous avez fait tout ce que vous avez fait mais
que ce n'était qu'une stratégie pour faire ce qu'il te
fait maintenant, que vous n'avez pas fait l'amour
mais qu'il te volait déjà.

On s'adapte vite à la peur. On cohabite avec elle
beaucoup plus facilement qu'on ne l'aurait prédit.
Elle devient une compagnie seulement désagréable.
Le temps de quelques minutes ou moins il alternait
les cris et les chuchotements. Je maîtrisais la peur de
mieux en mieux. Il m'embrassait, il murmurait :
« Arrête d'avoir peur, je suis sensible, j'aime pas
quand les gens ont peur ou quand les gens pleurent. »
Il posait sa main sur mes cheveux. Je me sentais en
sécurité, le temps de cette phrase rien n'aurait pu
m'atteindre, sa capacité à me rassurer et me protéger
était proportionnelle à sa violence.

Il n'y avait pas d'escalade de la violence. Il y avait
ces intervalles où il était apaisé, son attitude changeait radicalement et il se calmait, il baissait le ton ;
il murmurait ; il doutait, il me promettait : « Ça va
aller, t'as pas de raison de t'inquiéter. » Il m'embrassait les oreilles, les joues, les lèvres. Je lui parlais de
son avenir mais ça ne servait à rien.

Clara décrit à son mari comment j'avais désespérément cherché autre chose, un autre vocabulaire,
une autre rhétorique puisque le futur ne lui parlait
pas.

« Il a pensé à parler de sa famille. »

Il m'avait dit l'importance de la famille pour lui
quand on s'était rencontrés sur la place ; je m'en
suis souvenu et j'ai inventé qu'il y avait les coordon-
nées de mes parents sur mon téléphone – je voulais

récupérer les photos avec Didier et Geoffroy, les photos prises avec eux. J'ai dit que je ne savais pas où habitaient mes parents et que mon seul lien avec eux était leur numéro qui était enregistré sur mon téléphone. Geoffroy m'a dit le lendemain : « Tu aurais dû le laisser partir avec le téléphone, un téléphone ce n'est rien. »

De cette anecdote aussi Clara a gardé le souvenir :

« Son copain Geoffroy il lui a dit le lendemain : T'aurais dû le laisser s'en aller avec le téléphone. Un téléphone c'est rien, juste un morceau de plastique. Parce qu'il sait pas ce qui lui a pris, mais il a encore été un peu plus loin dans cette histoire de téléphone, Édouard. Il recommençait à réclamer son portable. Il a pas profité que l'autre il était plus calme pour s'en aller ou pour changer de sujet, non, il a demandé le téléphone. Il a demandé encore mais c'était pas vraiment le téléphone le fond de l'histoire voilà ce que j'en pense. Son ami Geoffroy il est à côté de la plaque, complètement à côté de ses pompes. Il ne le connaît pas aussi bien que moi alors comment il pourrait comprendre ? Parce que moi je te le dis, si ça aurait été n'importe quoi d'autre, un crayon, un bijou ou même quelqu'un, un otage, ça se serait passé pareil pour Édouard parce que la question ce n'est pas le téléphone c'est les fixations qu'il fait, c'est la folie, alors ça se serait passé pareil – pas pour moi, moi je serais partie depuis longtemps, mais pour lui *(tu aurais dit la même chose qu'elle la veille de la rencontre avec Reda mais maintenant tu sais que ce n'est pas vrai, avant cette nuit, je m'étais toujours*

132

imaginé que devant la mort, prisonnier d'une maison en flammes ou aux prises avec un meurtrier, qu'importe le type de circonstances que j'avais pu envisager, j'aurais tout fait pour renverser le cours des événements, et que je n'aurais jamais abandonné. J'étais persuadé que l'imminence de ma mort m'aurait permis de décupler ma force et mon courage, m'aurait fait découvrir une puissance, une capacité à crier, à lutter, à fuir, à courir, à me débattre, que je n'aurais jamais pu soupçonner auparavant. Bien sûr, j'avais vu au cinéma, dans les journaux ou dans la littérature des personnages capituler devant la mort, se rendre, mais je m'estimais différent d'eux, et chaque fois ces images m'emplissaient d'une vague de dégoût et de mépris en les voyant abandonner la partie si vite. Je pensais : Je suis beaucoup plus fort qu'eux). C'était de la pure folie, crois-moi. Il lui demandait le téléphone, encore et encore, et il y a des chances pour qu'il le demandait encore plus souvent qu'il me l'a laissé savoir. »

J'aurais peut-être pu le faire partir en profitant de ces espaces où il était plus calme ; il s'approchait de moi et, tremblant, bafouillant, je n'ai pas remarqué les autres objets accumulés dans les poches de son manteau. Le mois suivant et déjà le lendemain j'ai constaté que des tas d'objets qui m'appartenaient n'étaient plus là, avaient disparu. Je n'avais pas relevé leur disparition cette nuit de Noël, de toute façon c'étaient des choses sans importance, mais il avait pour ainsi dire vidé mon appartement, avec une discrétion spectaculaire puisque j'étais sûr de ne pas l'avoir quitté des yeux pour profiter des dernières secondes de sa présence chez moi, de l'avoir admiré quand il était sous la douche (ou plutôt je pensais ne pas l'avoir quitté des yeux, c'est l'impression qu'il me reste, ce qui n'est évidemment pas possible ou il n'aurait pas pu prendre tout ça). Les poches de son manteau devaient déborder d'objets qui m'appartenaient, un parfum offert pour Noël, une montre oubliée là par un ami, un médaillon avec la Vierge Marie qui datait de mon baptême et qui traînait dans la salle de bains depuis mon emménagement, que je ne portais pas bien sûr et que je promenais d'appartement en appartement sans savoir pourquoi je ne l'avais pas encore mis à la poubelle.

Puis j'ai eu l'idée la plus étrange de toute cette nuit. C'est la seule scène que j'ai intégralement dissimulée à tous ceux à qui j'ai parlé, à la police, à Didier et Geoffroy, aux infirmières, au médecin de l'Hôtel-Dieu, aux inconnus à qui j'ai raconté ce qui s'était passé, à l'écrivain, à Clara cette semaine. Je n'avais rien dit, non pas pour des raisons qui concernent la mémoire et les oublis qui en sont la condition mais tout simplement à cause de la honte. Je m'en souviens même beaucoup mieux que du reste de la nuit, ce sont les images que je garde les plus vivantes et les plus épaisses, à croire que ce qu'on appelle la honte est en fait la forme de mémoire la plus vive et la plus durable, une modalité supérieure de la mémoire, une mémoire qui s'inscrit au plus profond de la chair, à croire, comme le soutient Didier, que les plus vifs souvenirs d'une vie sont toujours ceux de la honte.

J'étais en face de Reda. Je lui ai dit : « Écoute, si tu veux, tu m'aides à chercher le téléphone dans mon appartement, il doit être tombé quelque part. S'il te plaît. On fait une sorte de pari. » Je lui ai proposé : « Le premier qui trouve le téléphone, l'autre lui doit cinquante euros, on fait un pari, c'est un jeu, juste comme ça, si c'est toi qui le trouves je te dois cinquante euros. Si c'est moi, tu me donnes cinquante euros. C'est simple. » Je jure que j'ai dit ça, je ne sais plus si je tremblais en lui faisant cette proposition, si ma voix tremblait. J'étais sûr que le téléphone était dans une de ses poches, je l'étais encore plus depuis que j'avais trouvé l'iPad dans son manteau et j'étais certain qu'il ferait semblant de le trouver pour avoir l'argent. Il avait volé mon téléphone pour le revendre et se faire un peu d'argent, le raisonnement me paraissait aller de soi, être simple à l'extrême. Je pensais toujours aux photos sur le téléphone qu'il fallait récupérer – ou donc, selon ce qu'en dit Clara, je croyais vouloir ces photos et ce téléphone.

Il cherchait avec moi. Il marchait dans l'appartement, il soulevait les draps, les couvertures. Il regardait sous mon lit, sous mes meubles, il manipulait les oreillers, passait ses mains sous les taies. Il se mettait à quatre pattes, courbait la tête, et il regardait sous le lit.

Il ne cherchait pas vraiment, c'était quand même perceptible, n'importe qui aurait pu s'en apercevoir, mais il faisait un minimum d'efforts pour donner l'illusion qu'il participait à notre jeu. Il ouvrait les placards, il déplaçait un livre, un autre, il prenait un livre sur une pile et il le mettait sur une autre pile. Je faisais comme lui, je l'imitais, je feignais de chercher, j'inspectais même l'intérieur du réfrigérateur où je laisse traîner des objets parfois ou des livres, par accident. Je scrutais la minuscule salle de bains et pendant tout ce temps je risquais des regards sur Reda. J'entendais sa respiration.

Je ne me suis pas enfui. Je ne me suis pas approché de la porte en profitant du retour au calme. Je n'ai pas essayé d'ouvrir la porte d'un mouvement vif et bref. Je n'ai pas songé *Sauve-toi*. Je n'avais pas encore vu l'arme dans sa poche – la fuite aurait été d'autant plus, je ne dirais pas facile mais au moins pensable. C'est l'irréalité qui me frappe le plus, maintenant que j'essaye de me souvenir, l'irréalité du moment, de nos attitudes, de nos déplacements. Je savais qu'il n'y avait rien à trouver et il savait qu'il cachait le téléphone, pourtant on marchait d'un bout à l'autre de l'appartement, il était six ou sept heures du matin, c'était la nuit de Noël, et Reda cherchait dans les tiroirs, et il marquait des pauses, il réfléchissait où il pouvait bien vérifier ou faire semblant de vérifier ; mon visage se transformait, il se boursouflait de fatigue. On fouillait les seize mètres carrés, et je disais : « Tu trouves ? », et lui rétorquait : « Non » ; je retentais ma chance : « Tu trouves ? » Il répondait tranquillement, comme on peut répondre à n'importe quelle question dans n'importe quel contexte. J'étais pieds nus, je portais un caleçon et un tee-shirt. Reda s'était habillé en sortant de la douche. Je n'osais pas prendre un pantalon pour me couvrir. Je n'avais pas encore froid. On marchait dans le studio.

Il a crié à nouveau.

Intermède

C'est dans le roman de William Faulkner, *Sanctuaire*, que j'ai retrouvé pour la première fois un cas comparable d'incapacité à fuir.

À la page 88, Faulkner écrit :

« Temple sortit à reculons de la pièce. Dans le corridor, elle se retourna rapidement, se mit à courir, franchit d'un trait la galerie et continua sa course à travers les broussailles, jusqu'à la route qu'elle atteignit et suivit pendant une cinquantaine de mètres dans les ténèbres. Puis, sans le moindre arrêt, elle fit demi-tour, revint toujours courant vers la maison, bondit sur la galerie et retourna s'accroupir contre la porte au moment même où quelqu'un débouchait du corridor ».

J'ai noté, au moment de la lecture :

Aujourd'hui nous sommes le mardi 11 novembre 2014. Je découvre et lis pour la première fois ce livre de William Faulkner, alors que j'ai presque terminé d'écrire *Histoire de la violence*. Stupéfaction de la rencontre avec Temple Drake, des parallèles, des pensées exactement identiques qui m'ont traversé. Faulkner y relate l'histoire – c'est la première partie du roman – d'une femme, Temple Drake, qui, à la suite d'un accident de voiture avec son compagnon, est emmenée dans une maison en ruine où vit une petite communauté d'hommes, et une femme, près du lieu de l'accident. C'est un des hommes de cette petite communauté qui a trouvé Temple et son compagnon et qui les emmène dans cette maison franchement inquiétante, perdue, au milieu des bosquets et des broussailles.

Les personnages qu'elle rencontre dans la maison – des petits trafiquants de whisky – sont d'emblée présentés comme alcooliques, violents, imprévisibles.

Ils se menacent, se battent, s'insultent, ils boivent beaucoup, menacent Temple, et le risque du viol – qui aura lieu – plane sur elle.

Temple pense à s'enfuir à certains moments, même si elle n'a pas de voiture et que sans voiture la fuite est rendue plus compliquée. Elle demande de l'aide à la femme qui vit dans la maison. La femme répond à Temple qu'elle doit s'enfuir avant qu'il ne soit trop tard. Elle insiste pour que Temple s'en aille même si parfois elle semble vouloir la retenir. Plusieurs fois Temple pourrait le faire, elle pourrait potentiellement fuir. Son compagnon, lui, finit par s'en aller et renforce par là, dans la comparaison qu'il offre, l'éclatante inertie de Temple Drake.

Quand dans cette scène que je viens de retranscrire, Temple se sauve, et qu'on éprouve un soulagement en pensant qu'enfin Faulkner écrit la scène de sa fuite, qu'on cesse de lui en vouloir de ne pas avoir écrit cette scène plus tôt, elle fuit mais elle revient aussitôt « sans le moindre arrêt » donc, comme happée par la situation, comme si la violence première de la situation était d'abolir l'extérieur, de condamner à exister à l'intérieur des limites qu'elle trace. Le problème n'est pas d'abord – au sens chronologique – pour elle – ou donc pour moi – d'avoir été contrainte à tel ou tel comportement dans l'interaction, mais d'avoir été contrainte à rester *dans* le cadre de l'interaction, dans la scène installée par la situation, c'est-à-dire dans le périmètre du terrain vague où se trouve la maison des trafiquants de whisky. Comme si la violence de l'enfermement, la violence de la géographie était première et que les autres formes de violence ne faisaient que découler de celle-ci, n'en étaient que des conséquences, des excroissances, comme si la géographie était une histoire qui se déroulait sans nous, hors de nous.

Et c'est alors que Faulkner écrit :

« Temple sortit à reculons de la pièce. Dans le corridor, elle se retourna rapidement, se mit à courir, franchit d'un trait la galerie et continua sa course à travers les broussailles, jusqu'à la route qu'elle atteignit et suivit pendant une cinquantaine de mètres dans les ténèbres. Puis, sans le moindre arrêt, elle fit demi-tour, revint toujours courant vers la maison, bondit sur la galerie et retourna s'accroupir contre la porte au moment même où quelqu'un débouchait du corridor. »

Ce soir de Noël j'ai réussi à me défaire de Reda, mais je ne l'ai fait que très tard, après un temps très long, et de même que pour Temple, la volonté réelle de fuir, qui aurait dû se manifester dès les prémices de la colère de Reda, a été ma réaction la plus tardive.

Neuf

Et puis je n'ai plus rien ressenti d'autre que la lassitude. Clara dit à son mari que la peur, même maîtrisée, ou la douleur, à partir de ce moment-là avaient été reléguées au deuxième plan, à cause de cette lassitude qui s'est mise à occuper toute la place. Je n'entendais plus qu'elle, qui me soufflait *Maintenant il faut qu'il parte, maintenant il faut que ça se finisse, trouve un moyen mais il faut que ça se finisse.* J'essayais de réfléchir.

J'ai eu froid, soudain. La tension depuis le début du basculement de Reda m'avait empêché de ressentir la température, mais la lassitude me rappelait le froid, mes dents claquaient à un rythme de plus en plus précipité, mes poils se hérissaient sur mon corps. La lassitude s'est peu à peu muée ou plutôt doublée car elle restait présente, en une conscience supérieure de l'atmosphère et de mon enveloppe corporelle, et soudain tout se passait comme si son écharpe continuait à enserrer ma gorge, comme si elle était restée autour de mon cou depuis qu'il l'avait enroulée, et qu'il ne l'avait jamais enlevée, je ne l'avais plus autour du cou depuis dix ou quinze minutes mais subitement je ressentais le contact du coton qui enserrait mon cou, le coton qui grattait et pesait, cette sensation qui s'était d'abord dissipée réapparaissait. Maintenant j'étais prêt à tout pour qu'il s'en aille. Mais c'est lui qui ne voulait plus partir. Ce dont je me souviens, aussi, c'est que dans des moments comme celui-là le temps ne s'écoule pas selon le même régime que dans la vie de tous les jours. Les éléments et les situations s'enchaînent dans un brouillard épais, comme si nous étions ivres Reda et moi, et comme si le monde lui-même était ivre, l'oxygène, l'ambiance étaient ivres, le temps s'écoulait différemment, plus laborieusement, plus lentement, plus lourdement, les mots qui s'échappaient entre nos lèvres étaient lourds, palpables, ils auraient pu tomber sur le sol et se fracasser en mille morceaux, nos mots étaient lointains, comme s'ils étaient prononcés par d'autres ; les corps se mouvaient dans une sorte de matière collante, de sable ou de coton, d'inertie.

Les deux policiers à qui je le disais étaient de plus en plus recroquevillés, le dos recroquevillé, les mains recroquevillées, ils vieillissaient, là encore le temps se désarticulait et chaque minute représentait une année du monde réel sur eux.

Reda ne voulait plus partir. Et au milieu de son refrain lancinant et interminable sur sa mère, sa famille que j'insultais, il s'est emparé du revolver dans la poche intérieure de son manteau. Je ne l'avais pas remarqué avant. Je ne sais pas si l'arme était une vraie ou si ce n'était qu'un jouet, je ne pouvais pas deviner, le policier n'arrêtait pas de me poser la question pendant l'interrogatoire, « Mais c'était pas une vraie quand même ? Ça aurait pu être un jouet vous savez, nous ici c'est un truc qu'on voit souvent, le mec prend une fausse arme pour vous faire peur et faire ce qu'il veut de vous, mais en… » et je l'assurais que je ne savais pas ; l'idée que ça puisse avoir été une fausse arme m'agressait, j'y voyais, naturellement, une façon de me dire que ma peur avait été moins légitime. Et il me redemandait, « Mais vous êtes certain que c'était un pistolet, vous l'avez bien vu, vous vous souvenez de la couleur du revolver ? Vous pourriez le décrire ? On ne peut pas obtenir une arme aussi facilement » et je pensais : *Bien sûr qu'on le peut. Où est-ce que tu as vécu, toi.* Il redemandait tellement, entre deux autres questions, si j'avais vu l'arme, que je finissais par en douter, par ne plus savoir si je l'avais vraiment vue, si Reda avait vraiment eu une arme, même si je me souvenais, la répétition consumait la réalité.

L'écharpe était restée à côté du lit. Il s'est accroupi pour la récupérer. Sans me quitter des yeux. J'ai pensé *Il va m'étrangler à nouveau.*

Il a pris l'écharpe et il l'a regardée, l'air paniqué, catastrophé, il regardait l'écharpe entre ses doigts comme si elle avait pu lui dire quelque chose, comme si elle avait pu lui parler et lui souffler ce qu'il devait faire avec. Il m'a dit : « Tourne-toi », mais il me le disait avec tellement d'hésitation que je ne l'ai pas fait, je ne pouvais pas croire que son ordre en était un, j'aurais même pu croire qu'il espérait, qu'il voulait que je ne le fasse pas. Mais il a répété : « Tourne-toi », et j'ai pensé *Il veut que je lui tourne le dos pour m'étrangler, il ne veut pas voir mon visage quand il me tuera*. Il a répété : « Tourne-toi », je faisais non de la tête, je ne voulais pas. Je suis resté sur place et Reda s'est emparé de mon bras droit. Il essaye d'attraper l'autre pour m'attacher avec l'écharpe. Je me débats, je l'en empêche, je pousse de faibles cris, je ne criais pas trop fort pour qu'il ne s'énerve pas, ce n'était pas des cris d'ailleurs mais un mélange de gémissements et de supplications. Je résiste, il n'arrive pas à ses fins, il répète en boucle, toujours plus fort : « Toi je vais te faire la gueule Toi je vais te faire la gueule Toi je vais te faire la gueule. » Je parlais seul et il parlait seul, il semblait que jamais il ne serait épuisé et qu'il pourrait continuer à hurler, à insulter, à déployer et à déverser la violence pendant des décennies, des siècles, sans répit, tandis que moi je sens mes forces décroître à une vitesse vertigineuse, à chaque battement de mon pouls je me vide de mon énergie, elle fuit, s'échappe par mes yeux, mes oreilles, mes narines, ma bouche, je voudrais la retenir, je ne pourrai pas lutter toute la nuit, il faudra que ça s'arrête, il arrivera un moment où l'épuisement sera trop grand et où il me paralysera pour de bon. Et je pensais : *Ce n'est pas un meurtrier. Les meurtriers ne se rencontrent pas aussi facilement dans la rue. Les meurtriers ne sont pas de petits Kabyles. Ils ont plus d'allure et on ne les rencontre pas comme ça au hasard. Lui n'a pas la carrure d'un meurtrier... Qu'est-ce qui aurait permis de l'identifier comme meurtrier ? Une main, un pied, un bras, un visage ?*

J'espérais que quelqu'un, un voisin, nous entendrait et qu'il interviendrait. Mais personne n'est venu. Il s'obstinait à vouloir lier mes bras, l'écharpe entre les mains. Comme ses tentatives n'aboutissaient pas il a saisi de nouveau le pistolet qu'il avait momentanément remis dans la poche intérieure de son manteau en similicuir, il jette l'écharpe sur le sol ou la remet autour de son cou à lui, je ne sais plus, et il me plaque contre le matelas, mon visage écrasé contre le tissu beige de mes draps à l'odeur de lessive plus ou moins réaliste de pêche. Quand il me violait, je n'ai pas crié de peur qu'il me tire dessus. Je suis resté immobile. Je respirais à travers le matelas, l'oxygène avait un goût de pêche. Son bassin frappait contre moi dans un bruit mat et sec. Je me concentrais sur le goût de la pêche. Je me disais qu'une vraie pêche n'avait jamais ce goût-là, qu'elle n'avait pas le goût de cette odeur. Autour de nous, toujours le même silence. Il fallait que je me débatte un minimum. Je devais le ménager si je voulais éviter ce qui m'apparaissait comme le pire. C'était justement mon non-consentement qu'il cherchait à atteindre. Il était sur moi, mais il se matérialisait dans tout ce qui m'entourait, je sais aussi que c'est un motif qui revient dans les récits sur ce sujet, tout devenait comme une excroissance de Reda, mon oreiller était Reda, l'obscurité tout entière était Reda, les draps étaient Reda.

Je me débattais pour le rassurer, mes vociférations étaient aussitôt absorbées par l'épaisseur du matelas. Je devais préserver cet équilibre fragile, parvenir à me débattre sans être trop brutal, parvenir à la fois à l'éloigner sans être trop vif. Les cris étaient aussi causés par la douleur, mais résister au sens propre l'aurait entraîné plus loin, et pour cette raison je calculais par avance les secousses, les gémissements; les vrais gémissements de douleur qui auraient pu m'échapper, ceux-là je faisais tout pour les étouffer, je ne laissais échapper que les gémissements mimés, j'utilisais la force absorbée des vrais gémissements pour produire les faux et je me concentrais sur mon idée: *Personne n'a jamais vu une pêche avec une odeur pareille, ce n'est pas l'odeur de la pêche mais l'idée de l'odeur de la pêche.* Je me suis débattu plus fort pour qu'il prenne du plaisir, plus de plaisir, et donc pour précipiter la fin. Je contrôlais tout, je mesurais tout – du moins c'est ce que je voulais, et ce que je m'obligeais à faire.

La policière disait qu'à ma place elle aurait crié aussi fort qu'elle le pouvait.

Là, les tremblements et les convulsions ont traversé son corps, son sexe s'est contracté, je l'ai senti se raidir, grossir, être plus douloureux; pendant l'orgasme il serait plus faible, moins vigilant, je pourrais m'en dégager. Et j'ai envoyé, à cet instant, précisément à cet instant, pendant son orgasme, un coup de coude dans ses côtes. Je n'étais pas courageux, je pariais.

Il ne s'y attendait pas. Il a été surpris, dérouté, tombant sur le côté, basculant du bord de mon lit comme un insecte soudain sur le dos, impuissant, qui agite follement ses petites pattes, perdant brusquement l'équilibre, le pantalon sur ses chevilles, le regard d'un gibier égaré, traqué, le sexe encore dur et droit comme une trique, couvert de sang, le sexe dressé et tout à coup risible, réduit à rien d'autre qu'un morceau de chair rosâtre comme planté maladroitement au milieu de son corps.

J'ai couru jusqu'à la porte. De mon lit à la porte il y a moins de deux mètres. Sur le palier j'étais presque nu, le sang coulait le long de mes cuisses en lignes rouges et sinueuses quand il m'a rejoint, son pantalon tout juste remonté, les boutons de sa braguette encore ouverts. Il ne m'a pas ramené à l'intérieur. Il aurait pu le faire sans trop d'efforts, il suffisait de me menacer avec l'arme. Il est resté face à moi, paralysé. J'ai revu la peur dans ses yeux à lui, mais cette fois plus grande, plus grande que jamais, comme si elle était un fantôme passée de l'un à l'autre, de mes yeux à ses yeux. Sur ce palier, face à moi, désarçonné, toute sa maladresse a éclaté, aveuglante. Peut-être qu'il regrettait. Il ne savait plus du tout ce qu'il devait ou ce qu'il pouvait faire, assommé par sa chute et par le retournement brutal des événements. C'était une pauvre créature, fébrile, indécise. Je n'ai pas eu pitié de lui. Je n'ai pas été touché par sa soudaine faiblesse, je n'ai pas été attristé, mais je ne me suis pas réjoui, je n'ai pas jubilé. La seule question, je disais à la police à la fin de l'interrogatoire, la seule question qui se posait était : comment faire ? Et j'ai dit à Reda : « Maintenant tu pars ou je crie. » Lorsque j'ai raconté cette fin aux deux agents de police, ils n'en revenaient pas, « C'est tout, et ça l'a fait fuir ? » Et j'ai répondu : « Oui, cette petite phrase inoffensive l'a paniqué. » Reda ne bougeait pas. Le visage crispé, il m'a demandé : « Fais pas ça. » La porte de mon appartement était ouverte, il a fait quelques pas vers l'entrée, il s'est penché, il a allongé le bras pour récupérer son manteau proche du palier, et je l'ai regardé partir en reculant légèrement, effarouché et même craintif quand il est passé devant moi. Je savais qu'il n'essayerait plus rien. C'était fini.

Je suis rentré, j'ai fermé la porte. Reda est revenu. Il a collé son visage contre la porte, je l'ai entendu faire, et il m'a dit : « Tu es sûr que tu veux que je parte ? Je suis désolé. Pardon. » J'ai répondu : « Pars. » C'était fini.

L'agent de police voulait à peine y croire, j'ai dit à Clara que l'agent de police le lendemain voulait à peine écrire ce qu'il venait d'entendre, il ne pouvait pas penser que c'était la fin de l'histoire, la fin ne pouvait pas être aussi plate, pas aussi anecdotique et aussi décevante et il a dit : « Ensuite ? » comme s'il devait à tout prix y avoir une suite. « Je suis resté chez moi. Maintenant je vous dis que je savais que tout était derrière moi mais le fait est que j'avais à l'esprit un éventuel retour. Je me suis enfermé dans mon studio et j'ai attendu. Je me suis assis sur mon lit, il y avait du sang partout sur les draps, sur le sol. » Je pensais au sida. Il fallait que j'aille demander un traitement d'urgence. Pourtant il y avait le risque que Reda soit resté dans la cage d'escalier. Qu'il se cache et qu'il m'attende. Je suis resté assis, à ne rien faire, à le haïr un long moment, j'ai pris le temps de le haïr puis je me suis décidé à partir. J'ai

pris une douche, ou, non, c'était après, au retour de
l'hôpital. J'ai enfilé des vêtements et j'ai marché
jusqu'à l'hôpital, je crois que j'avais pris un parapluie mais je ne l'ai pas utilisé. Dans ma poche
j'avais un cutter pour me défendre, au cas où Reda
serait resté caché là. Il pleuvait dehors, les nuages
étaient comme des morceaux de ciment, et il y avait
cette petite pluie, très fine, microscopique et désagréable qui vous couvre le visage et imbibe vos vêtements. J'ai marché jusqu'à l'hôpital sous cette pluie.
J'ai mis du temps à trouver l'entrée des urgences. Je
me disais que cette odeur de pêche était vraiment
absurde. À l'hôpital, dans le hall d'accueil il y avait
un SDF qui faisait les cent pas.

Dix

Elle a dû arrêter son travail à la naissance de leur enfant. Elle dit : « Avec le boulot qu'on me faisait faire je suis plus heureuse chez moi. »

Son mari reste toujours aussi mystérieusement silencieux et je m'interroge sur ce silence depuis qu'il est revenu. J'ai pensé quand elle a commencé de parler que c'était la fatigue consécutive à sa semaine de travail, ou sa timidité et son mutisme habituels – à moins que son mutisme et sa timidité habituels ne soient que la pointe acérée du rôle d'homme au village (l'homme étant associé à la rareté de la parole, du moins en présence d'une femme ou d'un enfant), et puis il y a aussi son métier, en lui-même, de conducteur de camions poids lourds pour une société commerciale, c'est-à-dire le métier de quelqu'un qui part depuis plus de dix ans sur les routes, seul, accoutumé à ne pas décoller les lèvres pendant cinq ou six jours de suite.

Depuis plus de dix ans il part sur les routes de toute l'Europe et de la bordure de l'Asie, sans autre compagnie qu'un téléviseur encastré dans la couchette de son camion, et il parcourt les autoroutes ; il

155

fait des milliers de kilomètres par semaine, il n'a face à lui que les mêmes bandes de goudron et les mêmes panneaux qui ne diffèrent que par les noms des villes inscrits dessus mais qu'il ne visite de toute façon jamais, faute de temps, faute de tout, qui ne sont pour lui que des successions de lettres et des noms d'entrepôts, tout au plus qui expriment des différences de chiffres, de salaire selon la distance entre ces villes et la France, Berlin voulant dire cent euros de plus sur le bulletin qu'il reçoit tous les mois, Cracovie voulant dire deux cent cinquante, Riga quatre cents et ainsi de suite, et il ne prononce pas un mot, comme aujourd'hui, il n'en a ni la possibilité ni le désir, il n'en a pas la possibilité, donc pas le désir si ce n'est pour commander au milieu de la nuit un café ou une dose de vin âcre dans une briquette en carton à un vendeur épuisé sur une aire d'autoroute, seul avec l'odeur de son propre corps qui flotte dans le camion, puissante, sécrétée à force de sommeil et de repas dans l'espace confiné de la cabine.

Un jour je suis parti avec lui à Londres. J'avais une douzaine d'années, et il m'avait proposé de l'accompagner. Il partait deux jours et une nuit. J'avais accepté en pensant que je pourrais découvrir un autre pays que la France et enfin pratiquer les quelques phrases d'anglais apprises à l'école. J'étais parti avec lui mais j'avais été forcé de m'apercevoir à mesure qu'on s'enfonçait dans les terres anglaises que l'on n'entendrait pas un mot d'anglais, qu'on ne verrait pas ne serait-ce qu'une seule rue d'une seule ville ; on se limiterait à parcourir les zones sans nom de la lointaine banlieue pour atteindre un grand entrepôt où le mari de ma sœur avait déposé ses marchandises, avait vidé son camion sans parler aux ouvriers anglais, il disait *les Rosbifs*, il n'avait pas fait l'effort de dire *Hello* mais *Bonjour* avant de me glisser à part : « Je suis français je parle français. » Je n'avais retenu de notre déplacement que le constat de sa solitude et de sa tristesse, et le fantasme de son corps quand il dormait à côté de moi sur la couchette.

Elle poursuit le récit, il ne parle pas. Elle dit qu'il était à peu près sept heures du matin quand j'ai franchi les portes automatiques de l'hôpital Saint-Louis. Désert. Il y avait moins d'une heure que Reda avait disparu.

Je lui ai décrit l'hôpital ce matin du 25 décembre, calme, feutré, et Clara explique qu'une infirmière est arrivée après une vingtaine de minutes. Elle a marché jusqu'à moi, droite et élégante, et elle m'a tendu un verre d'eau fraîche dans un petit gobelet de plastique blanc semi-translucide. Je pleurais. J'ai raconté mon histoire plusieurs fois, et je pleurais. Elle ne montrait aucun signe d'impatience ou d'agacement, elle restait sereine, professionnelle, imperturbable : « Vous avez été courageux. Et puis, ce que vous avez vécu, c'est comme la mort. » Elle m'a demandé si j'avais de la famille à joindre, j'ai répondu que non. Quand elle s'est absentée, je ne sais plus pourquoi j'ai frotté mes ongles sur les rainures circulaires du gobelet en plastique ; l'envie de crier me saisissait, ce violent désir de retourner tous les meubles de la chambre devenait indescriptiblement difficile à refouler, ce violent désir d'écrire sur les murs, d'arracher les draps, de me laisser porter par la folie, de mordre les oreillers et de balancer la tête de droite à gauche jusqu'à les éventrer et laisser s'échapper leurs plumes, et les voir voler dans la pièce partout autour de moi, les voir retomber doucement sur mon crâne et mes épaules et découvrir le visage terrorisé de l'infirmière entrant dans la pièce.

L'infirmière m'avait dit qu'un médecin serait bientôt là, ce n'était l'affaire que de quelques minutes, légèrement plus que le temps d'attente habituel, « évidemment », elle disait, puisque nous étions le matin de Noël et que le personnel était en effectif réduit, « les médecins aussi ont le droit de partir pour les fêtes », j'avais acquiescé, j'attendrais. « Vous avez besoin d'autre chose ? » Je n'avais besoin de rien. Je l'ai remerciée à outrance, j'en faisais trop. Je la remerciais de me laisser en vie. Il ne me restait qu'à attendre ; j'ai hasardé : « J'ai de la chance d'être tombé sur quelqu'un comme vous ».

Il y avait des graffitis sur les murs de la petite chambre d'hôpital, des dessins, quelques phrases, et allongé sur le lit poussiéreux qui grinçait au plus infime de mes mouvements je me demandais qui avait pu avoir le temps de faire ça, sans être arrêté par la peur d'être surpris, sans craindre qu'un médecin surgisse et le surprenne. Je n'en aurais jamais eu l'audace. Mais personne ne venait, le médecin ne se présentait pas malgré la promesse de l'infirmière. Je m'en suis plaint sur le ton doux et souriant de la menace ; j'ai traversé le couloir et je suis allé dire : « Je crois que je ne vais pas pouvoir attendre. » Puis je revenais et j'attendais. Je m'étais levé et je tournais en rond, je tournais, je tournais, je tournais – une violente envie de vomir m'a forcé à sortir. J'ai prévenu l'infirmière assise dans la pièce d'en face où j'étais allé plusieurs fois que j'avais la nausée, j'ai dit : « Si le médecin arrive je suis aux toilettes », mais je pensais : *À cause de vous. Je suis obligé d'y aller à cause de vous. Je suis malade à cause de vous, parce que vous me laissez mourir.*

Dans les toilettes, debout face au lavabo, avec les cheveux gras qui retombaient sur son front et restaient collés à son visage, le SDF était là. Il était penché en avant et avait la tête sous l'appareil qui sert à se sécher les mains, qui envoyait un souffle d'air chaud. Clara le décrit : courbé, la tête sous la machine. Il ouvrait la bouche pour laisser l'air entrer et gonfler ses joues, les déformer, comme un enfant qui passe la tête par-dessus la vitre d'une voiture qui roule à toute vitesse, comme j'aimais le faire jusqu'à l'âge de douze ou treize ans quand je partais en voiture avec mon père, le SDF ouvrait la bouche, faisant apparaître une dentition chaotique, jaune et noir, d'ailleurs moins une dentition à proprement parler qu'un enchaînement de petits rocs brunis, comme un massif de minuscules montagnes pointues séparées par de larges espaces vides et arides où avaient dû, un jour, se trouver d'autres dents. Il laissait échapper de petits gémissements de plaisir, de longs soupirs. Il m'ignorait. Je me suis rincé la bouche encore pleine de vomi dans un des lavabos. J'ai levé la tête. Je me suis observé dans le miroir, mes yeux étaient plus bleus que d'ordinaire, « je les trouvais beaux », j'ai dit le soir même à Didier et Geoffroy, je crachais des morceaux jaunâtres dans le siphon du lavabo, visqueux, et lui, retiré du monde, des autres, il poussait sa longue complainte sous l'effet de l'air tiède dans sa bouche. En sortant il m'a souri. J'ai revu ses dents, je l'ai imaginé en train de mordre dans un morceau de viande crue, le sang sur son menton, ses lèvres. Dix minutes plus tard j'étais dans la petite chambre, de retour des toilettes. Le médecin n'était pas là. Je m'impatientais, je serrais les poings et la mâchoire, je pensais : *Maintenant c'est trop tard, tu es malade, tu es malade à cause d'eux*, je me levais et je recommençais à marcher en rond, à faire des cercles dans la pièce, *Maintenant c'est trop tard*.

Clara dit :

« Il a traversé le couloir. C'était la dernière fois qu'il aurait à le faire. »

Elle dit que je suis retourné dans la pièce d'en face sans savoir que le médecin était là. J'ai demandé une fois encore quand le médecin allait arriver, et l'autre infirmière au fond du bureau, à qui je n'avais pas encore adressé la parole mais qui était présente elle aussi depuis mon arrivée, du moins celle que je croyais être l'autre infirmière du service, celle qui ne s'était pas présentée et que j'avais spontanément considérée comme l'autre infirmière, que j'avais baptisée « l'autre infirmière » pour ma conversation avec moi-même, s'est adressée à moi pour me dire qu'elle était le médecin : « Je ne vais pas tarder à vous rejoindre. » Depuis mon arrivée elle était ici, on m'enjoignait de patienter, on me disait que le médecin allait arriver et qu'il était plus long qu'il n'aurait dû l'être parce que c'était Noël, et maintenant je comprenais que le médecin était là, depuis le début ; depuis mes premiers pas dans l'hôpital fantôme elle était dans cette pièce, juste en face de la chambre avec les graffitis, à quelques mètres seulement ; elle jouait au solitaire sur son ordinateur tandis qu'en moi, dans mon corps, à chaque seconde qui passait, le sida se développait probablement, qu'il avait déjà commencé son impitoyable travail de destruction de mes cellules immunitaires.

Elle m'a rejoint après plus d'une heure d'attente et d'angoisse ; elle ne s'est pas excusée, elle n'a pas dit qu'elle était désolée, elle n'a pas été gênée par le mensonge de sa collègue. « Vous êtes M. Bellegueule c'est bien ça ? » Elle a dit que c'était un nom amusant, elle a fait cette remarque vulgaire et j'ai répondu sans entrain que ce n'était plus mon nom. J'avais hâte de ne plus être avec elle. Je comptais : *Compte jusqu'à cinq cents et tu ne seras plus avec elle.* Elle s'est assise face à l'ordinateur, à quelques pas du lit, et, avant même sa première question, je lui ai arraché la parole. Je devais lui parler de cette crainte qui s'était réveillée en moi dès ce matin-là, cette peur qu'on ne préviendrait que ma famille en cas de décès, ma famille au sens le plus restreint, la famille biologique, celle qui figure sur mon acte de naissance, et qu'on ne préviendrait ni Didier ni Geoffroy ni tous mes amis avec lesquels je vis ici à Paris, justement loin de ma famille officieuse.

Onze (détails d'un cauchemar)

Ça non plus Clara ne le savait pas : cette vision insoutenable que j'avais eue de mon propre enterrement, probablement à cause d'un autre livre de Claude Simon que Didier m'avait offert pour Noël, *L'Acacia*, de toute façon je suppose qu'il est naturel d'imaginer son enterrement, Geoffroy me dit que tout le monde y pense au moins une fois, et je ne sais pas quoi penser quand il me dit ça, je suis déchiré entre la honte d'être comme tout le monde et le soulagement de ne pas être anormal. Je lui ai donc parlé, à l'infirmière, de cette scène où il n'y aurait que des absents, et d'autres absents qui parleraient à des absents, quelques cousins et cousines qui ne seraient pas capables de comprendre ma mort, les circonstances de ma mort, se posant les mêmes questions que l'agent de police, « Mais pourquoi il a fait monter un inconnu chez lui en pleine nuit, qu'est-ce qui lui a passé par la tête, il a dû le forcer, l'autre, c'est sûr il a dû se passer quelque chose qu'on sait pas, on fait pas monter un inconnu comme ça en pleine nuit c'est louche je vous le dis moi c'est louche, c'est pas logique », ou, pire, dans cette vision certains d'entre eux diraient « Ce sale bâtard de bougnoule, de crouille qui l'a tué je vais le tuer, lui faire la peau, lui arracher les couilles » et d'autres qui commenteraient, « Je lui avais toujours dit Attention, mais j'avais beau lui dire il m'écoutait pas, tête de mule, toujours à écouter que lui-même », et ceux qui savaient, ou du moins ceux qui en savaient un peu plus que les autres, finiraient leur vie dans le secret, la honte, incapables de dire aux autres habitants, ouvriers ou amis du village les véritables conditions de mon décès, se contenant de dire : « Il a été tué, une agression, c'est un Arabe qui l'a étranglé, il a été étranglé par un fils de pute d'Arabe » (toujours cette même tendance à appeler « Arabe » tout ce qui se situait au-delà de l'Espagne, y compris les Portugais, les Grecs ou même les Espagnols), « mais il voulait toujours avoir raison », ils prendraient garde de ne jamais laisser échapper un mot qui les trahirait aussitôt, comme « Un garçon qu'il avait fait monter chez lui », ou « Un garçon comme lui qu'il avait rencontré ».

Et les femmes du village sur la petite place du village, la place encerclée, comme dans bien des villages, délimitée, par l'Église, la Mairie et l'École, la Place où les femmes restent pour s'échanger les dernières histoires ; elles ne seraient pas dupes, « Le sienne Bellegueule (*le sienne* voulait dire le fils ou la fille de. J'étais fréquemment appelé *le sienne Bellegueule*, c'est-à-dire le fils de Bellegueule – mon père –, tout comme mes frères étaient parfois appelés *le sienne Bellegueule* et que mes sœurs étaient appelées *le sienne Bellegueule* et que mon père même, en présence des gens les plus âgés du village qui l'avaient connu enfant, était appelé *le sienne Bellegueule*) le sienne Bellegueule, donc, il a été tué par un Arabe qu'il avait ramené chez lui pour faire des trucs, moi je l'avais toujours dit qu'il en était, alors si en plus… Fallait bien que ça arrive ! Paix à son âme ! Le malheureux quand même, il méritait pas ça, il étudiait bien à l'école et il était bien poli, il disait toujours bien bonjour, toujours, quand on le croisait à la boulangerie il faisait jamais son fier, il était toujours à dire bien bonjour. Même si il était sur le trottoir d'en face il te faisait toujours bien signe des fois même il était prêt à traverser », et pendant ce temps, à Paris, Didier et Geoffroy ignoreraient tout de ce qui m'était arrivé. Je disais à l'infirmière : ils ignoreraient tout de ma mort, ils se demanderaient pourquoi je les laissais sans nouvelles depuis trois jours, nous qui nous écrivions plusieurs dizaines parfois une centaine de courriels et de textos quotidiennement, ils viendraient frapper à ma porte, poseraient quelques questions à la gardienne, resteraient sans réponse. Ils l'apprendraient quelque temps après l'enterrement, trop tard. Alors je visualisais très bien la scène dans mon cauchemar, ils prendraient un taxi depuis la gare d'Abbeville où ils se seraient rendus en train au départ de Paris, il faut descendre à Abbeville et faire encore dix-sept kilomètres en voiture à travers les champs de colza, de betteraves et de pommes de terre, et ils arriveraient là, dans cette gare qu'ils ne connaissaient pas, dans cette région qu'ils ne connaissaient pas, Geoffroy porterait une imposante gerbe de fleurs tout juste achetée chez un fleuriste en face de la gare (et même si Didier aurait dit « Pourquoi acheter des fleurs pour un mort, des fleurs qu'il ne verra pas »), ces fleurs donc, achetées à une petite femme avenante et souriante avec qui ils auraient échangé quelques phrases, aux mains abîmées, et inévitablement, à la gare, dans le petit hall où il attendrait avec Didier l'arrivée d'un taxi, tous les regards seraient braqués sur lui à cause de cette gerbe trop grosse, trop voyante, sans parler du grincement désagréable que ferait le frottement de la feuille de plastique qui envelopperait la gerbe, inexorablement il se sentirait stupide. Il aurait acheté un bouquet démesurément, absurdement grand, « il aimait tellement ça » (ces phrases, nécessairement ridicules hors de leur contexte, en dehors de la charge émotionnelle qui leur donne vie, dans laquelle elles sont prononcées, le ridicule n'étant dans ce cas rien d'autre qu'un effet d'extériorité). Les deux s'engouffreraient dans un taxi pour échapper aux regards des individus présents, qui ne comprendraient pas ce que faisaient ces deux hommes à drôle d'allure, qui n'entraient pas dans ce décor, déplacés ; dans la petite ville ouvrière où on voit peu de Parisiens, ils semblent farcesques, ces deux hommes qui portent des manteaux de Monsieur, de petites lunettes rondes et qui attendent un taxi, parce que ici on ne prend pas le taxi, jamais, trop cher, sauf en cas de problèmes de santé quand les taxis sont remboursés par la sécurité sociale, les autres pensent : « Qu'est-ce que c'est que ces deux drôles-là, ces deux zoulous », on pourrait imaginer que certains les regardent avec compassion, la compassion est tout à fait envisageable, de la part des femmes surtout, élevées depuis le plus bas âge pour être plus promptes à ce genre d'affect, les femmes ayant appris à s'émouvoir plus facilement, plus intelligentes, elles pourraient être touchées, celles qui auraient compris qu'il s'agissait sans doute possible d'une gerbe de deuil, celles qui comprendraient qu'ils sont des proches venus de la ville pour un enterrement. Les deux s'installeraient finalement dans le taxi qui les emmènerait jusqu'au cimetière du village, trop serrés à cause de l'immense, de l'incommodante gerbe de fleurs, gênés à cause du chauffeur qui fumerait puisque ici, loin des centres, loin des grandes villes, loin de la vie politique, on est aussi loin des législations, alors ils seraient trop serrés dans le taxi avec ce chauffeur qui fume et gêne la respiration de Didier qui ne supporte pas la fumée de cigarette, qui ne l'a jamais supportée mais ne dit rien, n'ose rien dire. Peut-être qu'ils pleurent, peut-être qu'ils ont la gorge pincée, compressée, asséchée, incapables de dire le moindre mot si ce n'est quelques bribes de lamentations murmurées, répétées, acquiescées aussitôt par l'autre dans une légère inclination de la tête, un hochement quasi imperceptible et un tout aussi imperceptible son d'approbation, un « hum ».

Ils arrivent. Après quarante-cinq minutes de taxi ils arrivent devant le cimetière et – il y avait pensé durant tout le trajet en regardant les deux individus dans son rétroviseur, en se persuadant qu'il le ferait, que les deux Parisiens n'oseraient rien dire – le chauffeur de taxi leur demande une somme beaucoup trop élevée, indécente pour la distance parcourue, dix-sept kilomètres. Il s'est dit, lui qui voit passer très peu de clients, il a d'ailleurs un second métier, chauffeur ne suffirait pas, il s'était dit qu'il n'aurait aucun scrupule à prendre plus d'argent qu'il ne le devrait à ces deux Parisiens, et pourquoi s'en priverait-il, c'est normal, c'est une forme de répartition des richesses, ces *Parigots* qu'il déteste, dont il a envie de rire aussi tant il trouve leur présence incongrue (il se souvient de cette phrase de son enfance qu'il chantonnait, *Parigots têtes de veaux, Parisiens têtes de chiens*). Didier paye, sans protester. Il sait que le chauffeur de taxi l'escroque mais peu lui importe, la force lui manque. Ils descendent du taxi et s'avancent dans la boue, les chaussures qui en s'enfonçant dans la terre imbibée d'eau font remonter l'air, créant, à chaque pas, de petites bulles marron et éphémères à la surface des flaques. Il pleut, évidemment, la pluie du Nord omniprésente, cette pluie sans fin s'abat sur leur visage et donne à la scène un air plus pathétique encore ; ils ouvrent une petite barrière d'acier rouillée dont on peut deviner qu'elle fut vert foncé avant que la peinture ne s'écaille (toujours la pluie). Lorsqu'ils la referment elle crie, produit un grincement aigu, un bruit de rouille, et eux continuent de marcher l'un à côté de l'autre sans se regarder ni échanger un mot, la tête baissée à la recherche du nom dissimulé parmi les stèles de béton, pour la majorité d'entre elles laissées à l'abandon et couvertes de lierre et de mousse. La tombe est là, invisible sous les fleurs déposées par les femmes du village, « Il était jeune ce gamin », si bien qu'ils ne trouvent pas de place pour les leurs et qu'ils les posent sur la tombe voisine, tant pis. Ils répètent : « Nous n'avons même pas pu être présents. »

Douze

Elle avait changé. Depuis qu'elle avait compris ce que je faisais ici sa voix avait changé. Elle me parlait sans me regarder, le visage tourné vers l'écran d'ordinateur qui éclairait ses pommettes de reflets violets.

« Peut-être qu'elle t'avait fait attendre parce qu'elle pensait que c'était pas si grave que ça si t'étais là comme ça à te promener d'une chambre à l'autre toutes les trois minutes j'ai dit à Édouard. À ouvrir et fermer et ouvrir pis fermer encore la porte, et pis à te lever, à t'asseoir. C'est logique. Elle a dû penser qu'il avait le diable au corps ou des vers au cul. Peut-être que le garçon de l'accueil il avait rien dit à personne. Il faut jamais se fier aux gens à l'accueil c'est toujours les pires. Peut-être que l'infirmière elle avait rien dit non plus.

« Alors il lui raconte tout. Mais il rajoute tout de suite qu'il veut pas porter plainte – mais pourquoi à ce moment-là il disait tout, les détails, tout ? À quoi ça servait. Elle a essayé de le faire changer d'avis quand même. »

Mais je refusais. Elle insistait un peu, elle me disait que c'était pour m'aider que les procédures judiciaires existaient, pour mon bien, et je pensais *Comment est-ce qu'elle peut encore croire que ce genre de procédure fait du bien. À qui ?* Je pensais *J'ai peur* mais je disais : « Ça ne m'intéresse pas. » Je pensais *J'ai peur de la vengeance* mais je disais : « Je n'ai pas envie », et j'ajoutais – ce qui n'empêche pas que c'était vrai, même si ce n'était pas la cause première, principale – que c'était pour des raisons politiques que je ne voulais pas porter plainte, que c'était à cause de ma détestation de la répression, de l'idée même de la répression, parce que je pensais que Reda ne méritait pas d'aller en prison. Mais avant tout je pensais *J'ai peur*. Elle faisait comme si elle n'avait pas entendu, toujours tournée vers l'ordinateur, toujours le visage violet, fuchsia ; elle devait savoir depuis longtemps, après des années, que son travail consistait avant tout à gérer les silences et à savoir les imposer contre la folie des malades. Elle m'a tendu l'ordonnance et elle m'a rappelé qu'il ne serait pas trop tard le lendemain pour porter plainte, si je changeais d'avis. Elle m'avait dit, en allumant son ordinateur : « Je vois que vous avez déjà eu affaire à nos services. » C'était vrai ; j'avais pris un traitement préventif contre le sida deux ans avant. L'instant d'après elle avait dit, le visage contorsionné : « Enfin ce n'est pas une tare » – et son *ce n'est pas une tare* voulait dire que c'était une tare et que j'étais une tare, elle l'avait dit un peu trop vite et un peu trop fort comme si quelqu'un venait de lui dire le contraire ou comme si elle avait dû répondre à un infirmier qui aurait lancé, crié : « Ce garçon, c'est une tare », comme si un infirmier était monté sur un bureau ou un lit d'hôpital pour hurler au monde entier, les mains en cylindre autour de la bouche, que j'étais une tare, elle avait dit : « Ce n'est pas une tare », j'ai dit à Clara : défensivement, tout simplement parce que c'est la première chose à laquelle elle avait pensé, sa première réaction, le premier mouvement de sa pensée et qu'elle essayait contre elle-même, désespérément, de penser autre chose ou de se faire pardonner ce qu'elle n'avait pas dit mais qu'elle pensait, elle l'avait dit justement parce qu'elle pensait le contraire et qu'elle voulait se racheter par la parole.

Clara dit que nous nous sommes levés, la médecin m'a ouvert la porte et nous avons marché dans le couloir devant les portes parfaitement alignées de l'hôpital, presque toutes fermées.

Elle dit qu'il faisait sombre. Les talons de la médecin claquaient sur le sol plastifié. Le bruit était parfaitement accordé à l'obscurité des couloirs et il avait l'air d'en être une conséquence ; elle m'a conduit jusqu'à l'ascenseur et elle m'a dit : « Descendez au sous-sol et prenez le deuxième couloir à gauche. Sous-sol, deuxième couloir à gauche. Là vous trouverez la pharmacie de l'hôpital, et on vous donnera le traitement. » Et puis : « Il est encore temps de porter plainte monsieur. »

Clara :

« Et elle avait raison, il fallait le faire. »

Je lui ai dit au revoir, j'ai appuyé sur le bouton APPEL de l'ascenseur, je l'ai remerciée et je lui ai tourné le dos.

Je suis sorti de l'ascenseur. Au sous-sol le silence était encore plus saisissant qu'à l'étage. J'ai cru pendant une seconde, à peine plus, que j'étais seul dans l'hôpital et que même la médecin s'était enfuie, attendant que je lui tourne le dos, que tout le monde était parti dans la précipitation, mais dans une sorte de précipitation silencieuse, sans m'avertir, que j'avais été oublié là et que j'allais finir ma vie à errer dans ce labyrinthe de couloirs. J'ai cherché la pharmacie. J'entendais bien des bruits mais ils paraissaient si lointains que j'aurais pu les chercher pendant des heures, courir dans tous les sens, je n'aurais jamais pu les atteindre, jamais pu les approcher, les saisir ou les toucher. Tous les couloirs se ressemblaient. J'ai trouvé la pharmacie, on m'a donné quelques gélules que j'ai glissées dans ma poche et je suis sorti.

Je suis arrivé chez moi et je me suis assis sur mon lit. Je me répétais : *Maintenant je n'ai plus rien à faire*. Le temps m'assommait. *Maintenant tu ne sais même plus quoi faire de toi-même.* Je regardais l'heure sur l'iPad et j'attendais que le temps passe. Geoffroy m'a dit que c'était une réaction normale, qu'il fallait que je retrouve un rythme plus lent après l'accélération soudaine, comme si une fois de plus mon corps était en retard sur la réalité, qui elle avait déjà commencé à changer. C'est là que j'ai lavé mon appartement et que je suis descendu à la laverie.

« Après la laverie il rentre chez lui et il ouvre sa fenêtre. C'est parce qu'il pensait que ça l'aiderait à purifier les lieux encore plus, d'aérer, il était dans un état, bon, il s'est mis à penser comme ça qu'il fallait renouveler l'air du studio pour plus que ce soit l'air que Reda il avait respiré. Alors il se met face à sa fenêtre, il s'accroche aux rideaux et il expire de toutes ses forces. Il souffle. Il se faisait tousser exprès pour chasser l'air qui circulait à l'intérieur de lui. Tu comprends, il avait des doutes sur les origines de l'oxygène. Il m'a dit Je me forçais à tousser parce que j'étais certain que l'air qui était dans mes poumons c'était l'air qui avait été inspiré et expiré par Reda et ré-inspiré par moi et ainsi de suite, et que maintenant, tout ça, ça stagnait dans mes poumons. Ça, il voulait pas, avoir l'air de Reda dans ses poumons. Alors il s'est mis debout à sa fenêtre pour évacuer cet air-là, il soufflait, il crachait, il toussait. »

Henri était déjà réveillé. Quand j'ai allumé l'iPad j'ai vu un petit point vert à côté de son nom sur Facebook, je lui ai envoyé un message. Il m'a proposé de venir chez lui, et après mon deuxième message où je prétendais que je ne voulais pas le déranger – il n'y a pas cru évidemment – j'ai marché jusqu'à la station Velib' la plus proche, j'ai enfourché un vélo et je l'ai rejoint. Je pédalais dans le froid, mes yeux coulaient, ma peau rougissait sur le guidon au niveau de mes articulations. Didier et Geoffroy dormaient encore.

Je suis arrivé chez Henri et nous nous sommes allongés sur son lit ; je me suis dit que je devais faire l'amour avec lui, j'ai pensé à le supplier, pour aller encore un peu plus loin dans l'effacement de la trace de Reda, pour que Reda ne soit pas la dernière personne avec qui ce serait arrivé, pour franchir une étape de plus dans sa liquidation ; je ne voulais pas que « Reda est la dernière personne avec qui j'ai couché » soit une phrase possible, et je voulais faire advenir l'impossibilité de cette phrase.

Geoffroy m'a écrit quelques heures plus tard. J'étais allongé à côté d'Henri, les yeux fermés. Il était environ midi.

« Tu imagines qu'ils pouvaient pas se retrouver place de la République », dit Clara. J'ai quitté l'appartement d'Henri, je l'ai remercié. Il m'a dit : « Je suis disponible à n'importe quelle heure du jour et de la nuit. » J'ai attendu Geoffroy, seul sous un arrêt de bus près de la gare de l'Est. À chaque fois qu'une tête sortait de la bouche de métro, d'un taxi ou du portail de la gare derrière moi, je pensais : *Il m'a retrouvé.* Je devais longtemps examiner le visage pour comprendre que ce n'était pas Reda, je le voyais partout, ce matin-là tous les visages devenaient son visage et même si la personne qui faisait irruption de la station de métro n'avait aucune ressemblance avec lui, même si c'était une femme ou un homme plutôt grand – Reda était petit –, il me fallait du temps pour que mon cœur ralentisse et pour que le visage de Reda que je plaquais sur tous les visages disparaisse, qu'il s'estompe, se dissipe, s'évapore et que je puisse voir le vrai visage de la personne qui s'approchait.

Clara poursuit, elle dit que je regardais l'heure sur l'horloge de l'arrêt de bus – et je pensais : *Vite, Geoffroy, vite, je compte jusqu'à cent vingt-cinq et si à cent vingt-cinq tu n'es pas là ça veut dire que Reda va me retrouver.* Il n'arrivait pas. *Je recompte jusqu'à quatre-vingt-douze et si cette fois tu n'apparais pas c'est sûr, cette fois c'est sûr, Reda me retrouvera.* Et puis il est arrivé. On a pris un taxi pour aller rejoindre Didier, Geoffroy avait dit qu'il payerait le taxi pour aller plus vite et parce qu'il avait deviné que dans le métro j'aurais eu peur de croiser Reda. Dans le taxi on a tout fait pour parler d'autre chose mais les mots changeaient de sens, une espèce de langage codé parlait à notre place, il m'a demandé ce que je voulais manger et soudain *repas* voulait dire *écharpe*, il a demandé au chauffeur de mettre la radio plus fort et *musique* voulait dire *revolver*, *Didier* voulait dire *Reda*.

Treize

Didier attendait au café Le Sélect. Il portait le pull que je lui avais offert la veille, je l'ai vu de loin ; il était enfoncé dans la banquette, au fond de la salle, derrière les portemanteaux, une tasse posée devant lui. Il semblait désolé – cette désolation qui me faisait du bien est devenue invivable avec le temps. Vers la fin d'un documentaire que j'ai vu hier avec Clara sur la Cinq une voix off a parlé des viols commis sur les femmes noires pendant toute la période de l'esclavage ; quand la voix off a dit le mot *viol*, j'ai senti la gêne de Clara, j'ai vu sa bouche se rider, ses yeux se plisser, et j'ai haï cet embarras, j'ai haï cette désolation qui me faisait entrer de force dans mon passé, je pensais : *Elle ne pourra jamais comprendre que mon histoire est à la fois ce à quoi je tiens le plus et ce qui me paraît le plus éloigné et le plus étranger à ce que je suis, qu'à la fois je la serre de toutes mes forces contre ma poitrine de peur qu'on vienne me l'arracher mais que je ne ressens que du dégoût, le plus profond dégoût si on s'approche de moi pour me susurrer qu'elle m'appartient, qu'aussitôt qu'on me la rappelle je voudrais la jeter dans la poussière et m'éloigner.*

Didier m'a conseillé de parler. Il m'a dit de parler autant que nécessaire mais de passer le plus vite possible à autre chose – pas d'oublier, non, car l'oubli n'appartient pas au domaine du réalisable, et d'ailleurs il disait que l'oubli n'était peut-être pas souhaitable, même dans le cas où il aurait été envisageable, mais de toute façon il ne l'était pas, et il avait raison, je sais par expérience que l'autisme de ceux qui veulent oublier le passé est aussi terrible que l'autisme de ceux qui sont obsédés par ce passé, j'ai appris que la question n'est jamais d'oublier ou non, c'est une alternative fausse, la seule issue, ai-je dit plus tard à Clara, c'est-à-dire cette semaine, presque un an après, la seule issue consiste à réussir à atteindre une forme de mémoire qui ne répète pas le passé et depuis la nuit du 24, ou du moins le lendemain, je travaille là-dessus, je l'ai promis à Didier, je cherche à construire une mémoire qui me permettrait de défaire le passé, qui d'un même geste l'amplifierait et le détruirait, par laquelle plus je me souviens et plus je me dissous dans les images qu'il me reste, moins j'en suis le centre.

Mais Didier m'a dit tout de suite après : « Il faut aller porter plainte. » Je ne voulais pas. Je regardais les détails du pull qu'il portait, il le portait déjà, je savais qu'il l'avait fait par gentillesse, pour moi, pour mettre en valeur mon cadeau. Je me disais qu'il lui allait bien. Je voulais lui dire que je le trouvais beau quand il portait cette couleur, qu'il devrait la porter plus souvent. Il redisait : « Il faut porter plainte. » Et je ne comprenais pas. Après ce qu'il venait de me dire il se contredisait, je lui en voulais, je le détestais. Ça n'était jamais arrivé. Geoffroy était plus réservé que lui, plus hésitant, depuis plusieurs mois il écrivait un livre sur la justice, *une critique du jugement*, qu'il devait appeler *Juger*, on parlait presque tous les jours de son livre, j'en connaissais plus ou moins le contenu et à cause de ça je pensais qu'il me défendrait. Je m'attendais à ce qu'il soit de mon côté mais il a fini aussi par dire que c'était important, important d'aller porter plainte, malgré ses réserves, et je pensais : *Important pour qui ?* Je pensais : *De toute façon tu ne peux pas envoyer quelqu'un en prison, tu ne peux pas faire ça, tu n'es pas capable de faire ça* – je n'avais que l'arrogance pour m'aider, elle était mon seul soutien, je regardais autour de moi et je ne trouvais qu'elle, je l'agrippais, je m'y accrochais et je pensais : *Ils ne savent pas ce que c'est, moi je sais, moi j'ai vu, pas eux, ils ne savent pas, tu allais rendre visite à ton cousin Sylvain en prison et tu te rappelles, tu te rappelles de tout, il te décrivait les conditions de vie là-bas ; et pas seulement lui. Pas seulement lui. Tu as vu les visages épuisés, ravagés, lacérés, des autres prisonniers, les visages dévastés, ravagés, des familles à la sortie de la maison d'arrêt, ravagés, comme si elles avaient emporté avec elles une partie de la fatigue des prisonniers pour les soulager, mais eux ne savent pas, ils ne peuvent pas savoir, ils n'ont rien vu, – mon arrogance aide-moi – ils n'ont rien vu, moi, je me souviens très précisément, eux n'ont pas vu l'entrée de la prison, ils ne savent pas de quoi*

ils parlent, ils n'ont pas vu le mur de briques,
l'ombre du mur de briques, ils n'ont pas vu les
familles devant le mur, ils n'ont pas vu devant le mur
les familles suppliantes rampantes attendant que
leur nom soit prononcé, attendant de pouvoir entrer
au parloir. Mais je me retenais, je me taisais. Je
répondais que Reda me retrouverait après la prison
s'il était arrêté, qu'il allait me retrouver et qu'il se
vengerait, et Didier répondait « Mais ça n'arrive
jamais ». Il disait qu'Emmanuel lui avait expliqué un
jour que ça ne finissait jamais comme ça, il savait
puisqu'il était avocat, « il sait ça mieux que toi », il
était assez compétent pour dire que ce genre de vengeance n'existait pas. Je baissais les yeux vers la
tasse de Didier posée en face de moi et je pensais :
Mais ça ne rend pas ma peur moins vraie, moins
écrasante, et ils devraient se soucier de ta peur plus
que des probabilités, et ils devraient penser à ta
peur avant de penser au reste mais ils ne le font pas,
ils ne le font pas, ils ne pensent ni à toi ni à la peur,
et je ne disais rien de tout ça, évidemment je ne disais
rien, je disais seulement que je ne voulais pas que
cette histoire s'étire sur les mois à venir. J'expliquais
qu'une procédure me forcerait à me répéter encore et
encore, que ce qui s'était passé deviendrait d'autant
plus réel, que ce qui s'était passé s'inscrirait d'autant
plus en moi, dans mon corps, dans ma mémoire ; je
ne savais pas encore à quel point j'aurais envie d'en
parler ensuite, je ne devinais pas que mon comportement avec l'infirmière le matin même préfigurait ce
que j'allais être pendant quelques semaines mais de
toute façon ça ne change rien car pouvoir en parler et

effectivement parler, ou être contraint de le faire, être convoqué à le faire sont deux choses qui n'ont rien à voir, radicalement différentes, les deux choses les plus opposées qui soient. Je sais maintenant qu'il n'y a rien de commun entre ces deux choses qu'on appelle du même mot : « parler », que parfois ce qu'on appelle *parler* est plus proche de souffrir, se taire, de vomir que de parler, je sais aujourd'hui que le langage ment ; et Didier rétorquait que je l'oublierais d'autant plus facilement si je portais plainte ; je pensais : *C'est faux, il sait que c'est faux et ils veulent t'enfermer dans une histoire qui n'est pas la tienne, ils veulent te faire porter une histoire que tu n'as pas voulue, ce n'est pas ton histoire, et c'est ça qu'il te disent depuis tout à l'heure, c'est ce qu'ils te répètent : porter plainte, ils veulent que tu la portes, que tu portes la plainte sur ton dos et tant pis si je marche courbé pendant des mois, tant pis si je m'en brise le squelette, tant pis si l'histoire est trop lourde et qu'elle m'écrase les côtes, qu'elle me fissure la peau, qu'elle me rompt des articulations, qu'elle me compresse les organes*, et Didier et Geoffroy parlaient et je ne distinguais plus leurs phrases, absorbé par ma colère, je ne les voyais même plus, je sentais seulement leurs silhouettes réprobatrices à côté de moi, ils n'étaient plus Didier et Geoffroy, ils n'étaient plus ces deux personnes qui m'avaient sauvé la vie tellement de fois, ils n'étaient plus, et je pensais : *Ils sont comme Reda. Ils sont Reda. Si Reda est le nom du moment où tu as dû vivre ce que tu ne voulais pas vivre, si Reda est le nom de la privation, du silence, de ton absence, le nom de l'instant où tu* as dû faire ce que tu ne voulais pas faire où tu as dû traverser ce que tu ne voulais pas traverser être ce que tu ne voulais pas être alors tu as beau chercher, j'ai pensé : *J'ai beau chercher je ne vois pas la différence, je ne vois rien d'autre, ils prolongent Reda, ils sont Reda*, je ne les regardais plus pour essayer de retrouver leur visage et je pensais : *Ils sont Reda, ils sont Reda, si Reda ce soir-là t'a privé de tes mouvements, si ce que Reda t'a pris pendant une heure c'est le choix, le choix de tes mouvements, le choix de ton corps, alors ils te font exactement la même chose, et comme Reda tu les supplies de t'épargner. Tu les supplies d'arrêter mais ils n'arrêtent pas, ils t'étranglent, ils t'étouffent et tu les supplies de s'arrêter mais ils ne s'arrêtent pas.* Et Didier disait : « Si tu ne portes pas plainte, il le fera à d'autres, il refera ce qu'il t'a fait à d'autres, et c'est un devoir de solidarité élémentaire de protéger tous les » – *Mais est-ce que c'est à moi d'en payer le prix ? L'avoir vécu ne suffit pas ?* et je me taisais, *Il te donne un conseil dans son intérêt et pas dans le tien*, puis je pensais : *Non, ce n'est même pas dans son intérêt, il n'a rien à gagner si tu portes plainte, qu'est-ce qu'il y gagnerait ? Rien. Il répète ce qu'on lui a appris à dire mais il n'a rien à gagner* –, et Geoffroy s'y mettait, il m'assaillait, il me noyait sous le poids de cette histoire que je ne voulais pas être mon histoire, il me plongeait la tête dans la boue de laquelle je venais à peine de réussir à me dégager, il insistait : « Et toi tu as eu de la chance, mais la prochaine personne qu'il croisera, il la tuera » – *Mais ce n'est pas à toi d'en payer le prix, tu n'as pas à payer une deuxième fois, ce n'est pas à toi de te sacrifier, c'est au tour d'un autre, ne l'écoute pas, arrache-lui la langue qu'il ne puisse plus parler, découpe-lui la langue, tu n'as pas besoin de payer une deuxième fois*, je pensais *Pourquoi est-ce qu'on impose aux perdants de l'Histoire d'en être les témoins – comme si être perdant n'était pas suffisant, pourquoi est-ce que les perdants doivent en plus porter le témoignage de la perte, pourquoi est-ce qu'ils doivent en plus répéter la perte jusqu'à l'épuisement, en dépit de l'épuisement, je ne suis le gardien de personne, ce n'est pas juste,* et je pensais, toujours sans dire un mot : *Non, c'est le contraire, c'est le contraire qui devrait arriver, tu devrais avoir le droit au silence, ceux qui ont vécu la violence devraient avoir le droit de ne pas en parler, ils devraient être les seuls à avoir le droit de se taire, et ce sont les autres à qui on devrait reprocher de ne pas parler*, et Didier ne s'arrêtait pas, et Geoffroy le soutenait de plus en plus explicitement, avec de plus en plus de conviction, de plus en plus de bruit, même s'il restait plus réservé. Je baissais les yeux de honte, parce qu'évidemment j'avais honte, et je me répétais : *Il me met un revolver dans le dos pour me pousser jusqu'au commissariat*, et je ne pouvais pas le dire parce que je pensais qu'ils riraient malgré la légitimité de la phrase, et je pensais : *Ils ne veulent pas te laisser fuir, tu veux fuir mais ils t'exhortent à ne pas bouger, tu veux fuir cet appartement où tu es avec Reda, et eux ils ne veulent pas que tu t'enfuies, ils ne veulent pas que tu mettes ce coup de coude dans les côtes de Reda pour t'enfuir*; leurs reproches continuaient à me compresser la gorge, à faire palpiter mes tempes, à couler sur mes cuisses. Et puis, dans l'exaspération, après mon silence, à bout de force j'ai dit : « D'accord, laissez-moi un peu de temps pour réfléchir, on mange et quand on a terminé je vous réponds, mais j'aimerais bien que pendant le repas on parle d'autre chose, laissez-moi au moins manger si ce n'est pas trop demander. » À la fin du repas, nous avons payé et nous avons marché en direction du commissariat, mon corps n'était pas le mien, je le regardais m'emmener au commissariat.

Quatorze

Elle dit qu'on était donc trois à entrer dans le commissariat de la place Saint-Sulpice le 25 décembre au soir ; elle décrit à son mari ce que je lui ai décrit : les guirlandes suspendues au plafond, les arbres de Noël aux angles de la pièce, les petites ampoules de toutes les couleurs qui clignotaient vertes, rouges, bleues, jaunes. J'écoute de moins en moins Clara, ses digressions m'épuisent.

La policière à l'accueil nous a demandé ce qu'on voulait mais je n'arrivais pas à prendre la parole. J'étais bègue. Didier l'a fait pour moi : « Ce jeune homme voudrait porter plainte. » *Ils te traînent par le col.* Elle a dit : « Pour quelle raison ? » *Ils te traînent par le col et elle vient les aider.* J'ai répondu : « Tentative de meurtre, et viol. » *Tu ne t'attendais pas à ça.* Elle a eu un léger mouvement de recul elle a douté, elle nous a regardés tous les trois.

Clara dit à son mari : « Elle était sonnée. »

Je la fixais pour lui faire comprendre que j'étais sérieux. Je pénétrais bien son regard. Elle a compris : « On va s'occuper de vous. » Les deux hommes qui étaient à côté d'elle avaient tourné la tête vers moi, ils s'étaient désintéressés de ce qu'ils étaient en train de faire. Un policier est venu me chercher, « C'est vous ? », il a fait un signe à Didier et Geoffroy, m'a souri, et il m'a invité à le suivre. Didier et Geoffroy n'avaient pas le droit de m'accompagner, ils devaient attendre dans le hall sombre.

Il m'a installé dans son bureau, disant « Prenez la chaise ». Il est sorti, est revenu « Je vous écoute ».

Au début il tapait ce que je lui dictais. Puis les bruits de ses doigts sur le clavier se sont raréfiés. Je parlais dans le désordre. Il ne tapait plus du tout mais il m'a fallu du temps pour m'apercevoir que le bruit des touches d'ordinateur s'était espacé puis complètement dissipé. Je parlais. Il m'a interrompu pour me dire qu'il ne pouvait pas s'occuper d'une « histoire comme la mienne ».

« C'est trop grave monsieur » ; il allait m'envoyer vers un autre commissariat, à quelques rues de là, toujours dans le sixième arrondissement. Je me suis vu me lever, ouvrir la porte d'un coup d'épaule et la faire voler en éclats, et courir dans le couloir, m'enfoncer dans la rue, dans la nuit, et courir encore. Mais j'étais toujours en place sur la chaise, et le policier quittait une seconde fois la pièce.

On m'a prévenu qu'il fallait y aller en voiture. Les deux hommes qui allaient m'escorter sont arrivés. Je pensais au pull de Didier. Les autres bureaux où il fallait que je me rende, ils m'ont dit, n'étaient qu'à trois cents mètres et Didier et Geoffroy devaient me rejoindre à pied. J'ai demandé si je pouvais marcher avec eux jusque là-bas – j'ai dit à Clara : « J'aurais préféré faire quelques pas avec eux, leur parler, ils me manquaient », et je ne voyais pas pourquoi il était nécessaire de s'y rendre en voiture. Les policiers ne savaient pas plus que moi répondre à la question. C'étaient les ordres ou du moins la procédure, ils m'ont répondu qu'ils suivaient la procédure, et j'ai pensé : *Est-ce qu'on suit une procédure parce qu'elle est une procédure ou est-ce qu'une procédure ne sert pas à faire en sorte que tout se passe au mieux.* Quelque temps après Geoffroy m'a dit qu'il y avait une explication rationnelle à cette procédure, qu'il m'a exposée et que j'ai oubliée.

J'entends Clara :

« Juste deux petits chauves à gros ventre. Pas des beaux policiers comme dans les séries des fois que tu vois à la télé, grands et musclés, non, ça ça arrive jamais, faut pas rêver. Mais rien que deux petits chauves à gros ventre avec des petites épaules. Il a avisé ses deux amis Didier pis Geoffroy que les deux hommes qui l'attendaient debout à côté de la porte ils allaient l'amener dans l'autre commissariat parce que c'était là-bas qu'ils pourraient prendre sa plainte. Et il leur a dit, à ses amis : Vous pouvez partir. Donc. »

Ne l'écoute plus. Les policiers m'avaient dit que Didier et Geoffroy n'auraient pas le droit de rester à côté de moi dans le deuxième commissariat, que je ne pourrais ni les voir ni leur parler, alors je leur ai dit qu'ils pouvaient partir. Je ne le pensais pas bien sûr et comme ils ne sont pas idiots ils sont restés. Ils ont attendu dans le second commissariat, encore plus sinistre, encore plus morbide, plus froid. Quand j'y suis entré ils m'attendaient, le temps que je monte dans la voiture avec les deux hommes, que j'attache ma ceinture, que le policier démarre et que le moteur chauffe, que celui qui conduisait desserre le frein à main, ils y étaient déjà, assis, et Didier parlait à la policière qui voulait que je prenne rendez-vous le lendemain avec un psychiatre. Ils m'ont fait monter à l'étage du dessus.

J'en voulais moins à Didier et Geoffroy à certains moments parce que j'étais pris dans l'enchaînement des actions et je n'y pensais plus, je ne pensais plus à ma colère – je me prenais même au jeu ; en fait j'y mettais beaucoup de zèle, je répondais aux questions de la police avec le ton et les allures du bon élève, après chaque réponse que je leur donnais je prenais le petit air satisfait de l'élève qui sait qu'il a fait un sans-faute, le dos cambré et les sourcils relevés, avec le sentiment d'être utile, de servir à quelque chose ; et puis la rage revenait. Je me ressaisissais, je me rappelais que je ne voulais pas faire ce que je faisais et la colère revenait mais la colère est un serment trop difficile à tenir.

« Et pis ils lui ont demandé de tout recommen- cer. »

Ils m'ont demandé de recommencer, les policiers du premier commissariat n'avaient rien gardé de ce qu'ils avaient écrit, même pas le début, même pas quelques lignes. J'avais surtout envie de dormir. Le mois d'après je suis allé vivre chez Frédéric qui habite près de chez Didier et de chez Geoffroy aussi. Je n'avais pas peur de dormir chez moi la première nuit, mais la deuxième nuit c'était impossible – Geoffroy dit que c'est quelque chose de fréquent, cette bizarrerie de la deuxième nuit, ces gens qui n'ont pas peur la première nuit mais seulement la deuxième, il l'a entendu pendant les procès auxquels il allait assister pour écrire son livre sur la justice. Donc le lendemain je paniquais en pensant qu'il faudrait que je dorme chez moi et Frédéric m'a proposé d'habiter chez lui quelques mois. Il m'a dit : « Je viens te chercher » et un quart d'heure après il était en bas de chez moi avec un taxi. Il fallait répéter, répéter, tous les gens autour de moi devenaient des prétextes pour me faire répéter, je ne voyais plus de corps d'hommes ou de femmes mais des répétitions dissimulées dans des corps de femmes ou d'hommes, et d'ailleurs après une demi-heure les deux policiers, l'homme et la femme, m'ont dit la même phrase que le policier de la place Saint-Sulpice, aux détails près, eux aussi se répétaient, avec la même intonation dégagée, froide et technique : « Ce n'est pas pour nous, une affaire comme la vôtre ». Il faudrait s'adresser à une instance plus compétente, voir d'autres personnes, en l'occurrence la police judiciaire. J'ai dit : « Je n'ai plus de force. » Elle a dit : « Je comprends. » Ils ont réfléchi et la policière a décroché le téléphone. Elle m'a dit qu'elle allait trouver une solution, elle voulait être rassurante je crois. J'ai attendu. Ils pouvaient enregistrer la déposition et l'envoyer à la police judiciaire. Je n'aurais pas à répéter une troisième fois, même s'il faudrait quand même rejoindre la PJ, plus tard dans la nuit, et qu'ils me poseraient forcément quelques questions, même après avoir lu ce qu'elle allait leur envoyer.

191

J'essayais d'imaginer ma vie pendant les mois qui s'annonçaient et je ne voyais que la procédure.

J'ai descendu l'escalier. Cette fois j'étais décidé à laisser Didier et Geoffroy s'en aller, rentrer chez eux ; la policière m'avait proposé d'utiliser un des téléphones du commissariat pour les prévenir de ce qu'on me demanderait de faire ensuite ; ils n'avaient qu'à écrire leurs numéros sur un morceau de papier et je pourrais les appeler. J'ai arraché une feuille à l'intérieur d'un livret de propagande « La police recrute » qui traînait là, il y en avait trois grandes piles. Ils ont écrit leurs numéros. L'encre fraîche brillait sur le papier glacé. Ils protestaient encore en écrivant. J'insistais. Ils ont fini par me croire, par croire que je voulais qu'ils s'en aillent. Ils ne se coucheraient pas et ils attendraient mon appel. Il était déjà très tard, peut-être minuit, une heure.

Ils se sont approchés de la sortie. Je les ai regardés marcher. Aussitôt qu'ils ont franchi la porte pour disparaître dans la nuit j'ai senti mes organes imploser, je voulais crier, je ne trouvais pas mon cri, l'air devenait irrespirable, ma bouche, ma gorge, mon œsophage, mes poumons implosaient, se ratatinaient et ne formaient plus que de pauvres morceaux de caoutchouc aplatis, nervurés, ridés. Je ne respirais plus. J'ai voulu leur courir après dans la rue jusqu'à m'en déchirer les articulations, les retenir par le coude, les tirer en arrière, les agripper et les supplier de rester et de ne plus m'écouter quand je leur demanderais de me laisser seul. Je me suis forcé à tousser pour me rassurer par le bruit, pour produire une présence par ce bruit. Je suis resté un peu dans le hall et pour la première fois je me suis rendu compte à quel point il faisait froid, cette nuit comme celle d'avant est devenue, tout à coup, indissociablement liée au souvenir du froid.

Quinze

Tout ça, Clara m'a entendu le lui raconter ces derniers jours, depuis que je suis chez elle : qu'il fallait retourner à l'hôpital le lendemain. Que l'examen rapide du matin aux urgences n'était plus suffisant. Que je devais me soumettre à des examens dans un hôpital plus central et qui proposait un service spécial, dit *judiciaire*, plus communément nommé par l'acronyme UMJ, *Urgences médico-judiciaires*, pour qu'un médecin atteste l'agression, les coups et le reste, c'est-à-dire qu'il en déniche le souvenir sur mon corps, ce qui n'avait pas été fait à cause de mon refus la veille à Saint-Louis. J'acceptais passivement tout ce qu'ils me disaient. J'étais fatigué.

Ils m'avaient expliqué qu'une équipe médicale aux UMJ pourrait dire précisément si j'avais été victime d'une agression ou d'une tentative d'homicide lors de la strangulation, ce qui changerait tout, « c'est du tout au tout, monsieur ». On pourrait me révéler, en scrutant et en mesurant les marques sur ma peau, si j'avais franchi cette frontière symbolique et étanche à un regard non spécialiste qui départage la simple blessure de la presque-mort ; quant à la pénétration forcée il fallait la prouver, aussi, ils disaient : scientifiquement, par un examen clinique.

Clara dit que le rendez-vous avait été fixé par téléphone, directement par un policier, le soir de la plainte à Saint-Sulpice.

Une huitaine d'heures après l'interrogatoire je suis entré aux urgences médico-judiciaires de l'Hôtel-Dieu, c'était le matin. J'avais traversé un Paris de lendemain de fête, tout allait au ralenti, les rares voitures, les piétons, même la Seine, incroyablement paisible, avait l'air d'aller au ralenti.

Dans l'hôpital il y avait un parcours fléché qui indiquait « UMJ » sur des feuilles de format A4 fixées aux murs par des punaises. J'ai poussé une porte battante. J'ai dit : « C'est bien ici ? », et je n'ai pas eu besoin de terminer ma question, l'infirmière à l'entrée m'a répondu : « Oui. » *Elle travaille dans ce service depuis si longtemps qu'elle a pu voir au premier coup d'œil pourquoi je suis là, pourquoi tu es là, peut-être à cause de mon intonation ou du mouvement de mes lèvres. Elle a pu voir défiler sous ses yeux toute la nuit de Noël de la rencontre sur la place à la fuite en passant par les lumières bleues sur nos corps quand nous étions allongés –* ou même cet autre épisode que j'ai raconté à Clara ces jours-ci, quand trois quarts d'heure après notre arrivée dans mon studio Reda et moi étions allongés et essoufflés et qu'un bruit nous avait fait sursauter. Il était apparu de nulle part, ce bruit, tout de suite extrêmement proche de nous. Nous étions tous les deux sous ma couverture rouge et épaisse, allongés, nus ; on entendait quelqu'un s'approcher dangereusement du seuil de mon appartement, ou plutôt, justement non pas quelqu'un qui s'approchait mais quelqu'un qui était apparu, déjà et immédiatement proche. On ne faisait plus aucun geste. On se regardait. Son visage m'interrogeait et mon visage lui répondait que je n'en savais pas plus que lui. On s'efforçait de ne plus respirer, mais plus on essayait d'étouffer notre souffle plus il était saccadé, irrégulier et bruyant. Les voix de l'autre côté de la porte étaient de plus en plus proches. Elles étaient à quelques centimètres de ma porte ; elles ne parlaient pas, elles grommelaient, marmonnaient à peine, nous pouvions entendre le froissement des vêtements des inconnus, le bruit du tissu caressant l'acajou de la porte. Reda a posé sa main sur mon torse. Quand j'ai entendu et compris qu'une clé était introduite dans la serrure ma stupeur a atteint son niveau le plus élevé, la clé tournait mais la porte ne s'ouvrait pas, et j'entendais mon cœur dans mes oreilles, mon cœur dans mes yeux qui palpitaient sous mes paupières, je réfléchissais, et j'ai supposé que c'était Cyril, qui avait une clé de l'appartement et qui voulait me faire une surprise, dans sa gentillesse habituelle, peut-être sortant de son dîner de Noël, peut-être pensant que je n'étais pas là et voulant occuper le studio pour la nuit. On entendait toute la petite machinerie de la serrure résister, la personne derrière la porte la poussait à coups d'épaule, retirait la clé et l'introduisait, la retirait à nouveau, l'introduisait à nouveau, ne parvenait pas à l'ouvrir, forçait, insistait. La voix d'un homme s'est détachée plus nettement. Je ne sais plus combien de temps a duré cette lutte entre l'homme et la porte, combien de temps il s'est écoulé entre le premier coup qu'il a mis dans la porte et l'instant où j'ai compris de quoi il s'agissait et où il s'est éloigné en riant, lui qui rentrait sans doute de son réveillon de Noël et qui, dans son état d'ébriété, avait confondu ma porte et la sienne. Sa voix s'est éloignée et il a descendu l'escalier, jusqu'à quel étage, je ne sais pas non plus. On ne l'a plus entendu. Reda et moi, nous nous sommes esclaffés, et les jours d'après c'est à des moments comme celui-là que j'ai repensé dans un mélange de terreur et de nostalgie.

Il y avait trois autres personnes dans la salle d'attente, la tête baissée vers le sol. Quand je suis entré elles m'ont à peine regardé, et directement, instinctivement, j'ai fait la même chose. J'ai détourné le regard, sans qu'elles aient eu besoin de le demander.

Il y avait deux femmes assises l'une à côté de l'autre : toutes deux minces, jolies, lourdement maquillées. L'une portait des cuissardes et l'autre de petites ballerines rouges vernies à pois, assorties, j'imagine que l'effet était souhaité, à son rouge à lèvres. La troisième personne était très grande, elle portait des chaussures à talon qui la grandissaient encore plus et la cambraient ; ses jambes étaient viriles, velues, ses mollets épais, robustes, musclés. Elle était vêtue d'une minijupe de cuir noir et d'un large manteau de fourrure synthétique, imitation léopard, ouvert, qui tombait jusqu'à ses genoux. Ses cheveux étaient courts, sa barbe épaisse. Elle s'emportait contre les infirmières de l'accueil. Je me concentrais sur cette voix grave qui contrastait avec sa jupe et son manteau léopard. Je contemplais sa beauté, émouvante, en tentant de rester discret, et je suppose que tout le monde faisait la même chose, que tout le monde la regardait prudemment.

« Elle a hurlé », dit Clara. Elle mettait en garde, disant que ça ne se passerait pas comme ça, elle hurlait : « On se fout de ma gueule ou quoi, on ne traite pas une jeune femme comme ça, je veux voir le médecin de suite ou ça va mal aller. » Elle pleurait, les sanglots étouffaient ses cris. Pourtant je me sentais en sécurité dans cette salle. Je me sentais hors d'atteinte, assis à côté d'elles. Je me disais que nous partagions un destin commun, qu'elles pourraient me comprendre à un degré d'acuité et d'intelligence supérieur à celui de n'importe qui d'autre, ce qui est probablement faux, mais ma foi en l'idée que personne ne pouvait réellement me *comprendre*, qui m'a pourchassé dès le 25 au matin, a été suspendue le temps que j'ai passé dans cette pièce.

Clara allume une autre cigarette, j'entends le briquet et la longue inspiration qui suit :

« Il y a une infirmière qui l'a appelé. Elle est arrivée dans la salle d'attente mais elle a pas dit son nom comme ils le font d'habitude chez le docteur normal. Elle s'approche de lui et ce qu'elle fait c'est qu'elle lui tape juste sur l'épaule – faut croire qu'elle avait deviné qu'il voulait surtout pas que les autres ils entendent son nom, je sais pas moi. Sûrement c'est quelque chose qu'elle faisait avec tout le monde.

Elle se doutait bien. Elle lui dit tout bas. Suivez-moi. Elle s'est tournée et il a marché derrière elle, le truc, il m'a expliqué, c'est qu'il avait emporté dans sa poche une copie de la plainte, celle que le schmitt il avait imprimée la veille exprès pour lui. Il avait décidé qu'il allait la montrer au médecin pour pas être forcé de parler. »

Ne l'écoute plus. J'ai suivi l'infirmière dans le bureau. Je me suis présenté au médecin, qui m'a serré la main, trop fort, Clara dit que les médecins serrent toujours les mains trop fort pour annoncer le rapport de force à venir – *Mais ne l'écoute plus* ; je me suis assis en face de lui, de l'autre côté de son bureau.

Je lui ai tendu les deux feuilles comme dans mon plan. Je me suis levé, je me suis incliné vers l'avant et j'ai extrait de ma poche arrière les deux pages de la copie de la plainte que j'ai mises entre les mains du médecin, lui disant : « Je vous ai apporté la copie de la plainte. » Il a refusé, son regard s'est à peine posé sur les feuilles de papier. Il m'a dit : « Je préfère vous entendre parler. » Je n'avais rien de plus à ajouter et je ne savais pas ce que parler aurait changé. Tout était écrit, imprimé, devant lui, sur le papier, et puis je n'avais pas envie. Il redisait : « Je préfère que vous parliez. » *Pourquoi ? Je ne veux plus parler.* Je pensais : *Il devrait me demander de l'écrire. Quand j'écris je dis tout, quand je parle je suis lâche.* J'ai parlé mais mes yeux restaient secs.

« Il arrivait pas à pleurer. Quand ça vient pas ça vient pas. Il pensait à la mort de notre grand-mère quand il était gamin, c'était. » *C'est à Dimitri que je pensais.*

C'était presque terminé. Ils ont mesuré et ils ont photographié les marques autour de mon cou, l'infirmière tenait un long mètre souple qui ressemblait à un mètre de couturière. Elle le déroulait sur moi. Elle donnait la taille des marques au médecin, qui notait.

Elle posait le mètre contre ma peau, je sentais son contact froid, rugueux, et le médecin prenait des photographies. Il parlait avec lui-même, pour lui-même, « Je vais en faire une sans flash, voilà, c'est mieux comme ça, encore une », disant non pas « voilà » mais plutôt dans un long souffle « voiiiiiiiiiiiillll-làààààààà », l'infirmière le guidait : « Il y a encore des marques là, et là, et là, et là ». Il me demandait de me pencher, d'incliner la tête, de lever un bras, puis l'autre pour photographier toutes les lésions, n'en oublier aucune ; il appuyait sur certaines parties, il me demandait si j'avais mal, et à combien sur une échelle de un à dix – j'avais envie de répondre quinze à chaque fois, je répondais sept ou huit. Je regardais un petit cadre avec des photos d'enfants sur le bureau du docteur, sûrement les siens, au ski, je n'avais pas fait de ski depuis longtemps. Je pensais à l'odeur de la pêche. Ils se sont attardés sur les taches violettes autour de mon cou ; lui m'a dit : « En effet je constate qu'il a dû vous étrangler très fort et très longtemps. » J'ai trouvé sa phrase ridiculement solennelle mais je me suis dit : *Les pleurs n'étaient pas nécessaires, mon corps suffit.*

Ils m'ont demandé de me déshabiller et ma pudeur est revenue instantanément ; ma pudeur sans origine, déjà les visites médicales à l'école primaire étaient des épreuves, et les déplacements scolaires à la piscine, même chose, je courais d'un bassin à l'autre chaque fois avec les mains croisées devant mon maillot de bain, devant mon sexe recroquevillé sous le tissu, le corps malingre, presque rachitique, la peau si blanche qui me complexait, si pâle qu'elle laissait apparaître le faisceau de veines qu'elle recouvre. Je me déshabillais le plus lentement possible.

Le médecin et l'infirmière étaient tournés vers moi, ils me fixaient, sans faire semblant de ne pas regarder mon corps, et l'un d'entre eux m'a dit nonchalamment la phrase qui devait être prononcée : « Vous pouvez tout retirer », et savoir qu'ils allaient la dire et l'attendre n'enlevaient rien à la surprise. Il m'a dit de me mettre à quatre pattes sur le grand siège du cabinet, recouvert de ce papier marron qui gratte et brûle comme du papier de verre. « Je vous préviens ça va être désagréable. » Il allait utiliser une spatule pour examiner les plaies et les blessures plus profondes. Plus tard j'ai dit à Clara que ça n'avait pas été humiliant parce que lui avouer aurait doublé l'humiliation. Il a enfoncé la spatule. Il prenait des photos, *Ils photographient l'intérieur de mon corps*. J'entendais le petit *clic* de l'appareil photo à chaque capture, et le médecin qui murmurait à l'infirmière, lésions, hématomes. Clara dit qu'il m'a demandé : « Vous saignez beaucoup ? » Je saignais beaucoup. Le sang coulait sans prévenir. J'ai dit au médecin :

202

« On ne peut pas faire confiance à son propre sang, il vous prend en traître. » Il tachait mes pantalons. J'ai dit : « On pourrait me suivre à la trace. » Ma blague ne l'a pas fait rire. Il ne l'a pas relevée. J'avais envie de rire. Je ne sais pas pourquoi j'avais envie de rire, j'ai fait d'autres tentatives, chaque fois des échecs, chaque fois lamentables, qui me laissaient un goût de mépris de moi-même sous la langue. Je me sentais déplacé, vulgaire, et lui il restait sérieux, mais je ne pouvais pas me calmer, aussitôt la plaisanterie faite je m'en voulais mais je recommençais. Je voyais que je n'étais pas drôle mais je récidivais, et lui, il se crispait encore plus. À la fin de l'examen il m'a conseillé de voir un psychiatre, il y en avait un, il disait : à disposition, dans l'hôpital.

J'étais sûr que si j'allais trop loin dans l'accomplissement des gestes du traumatisé je le deviendrais d'autant plus, et pour longtemps. Mon corps n'ignorait rien bien sûr. Je l'ai dit à Clara : je ne peux pas ignorer le sang, la peur d'habiter chez moi. Je ne peux pas ignorer la fatigue du traitement, les traces sur mon corps, l'accélération de mon rythme cardiaque quand je marche le soir dans la rue, seul, et que quelqu'un, un homme, marche derrière moi et que le bruit de ses pas me menacent. Mais je savais que je devais me mentir. Je ne dis pas que c'est une solution en soi, je ne suis pas sûr qu'elle fonctionne pour tout le monde, mais pour moi j'avais intérêt à utiliser toute mon énergie à me convaincre que je n'étais pas traumatisé, pour me dire que j'allais bien, même si c'était faux, même si c'était un mensonge.

Les mensonges m'ont sauvé plus d'une fois. Si j'y réfléchis beaucoup de moments de liberté dans ma vie ont été des moments où j'ai pu mentir, et par mentir j'entends résister à une vérité qui essayait de s'imposer à moi, à mes tissus, à mes organes, en fait une vérité déjà établie en moi, parfois depuis longtemps, mais qui avait été établie en moi par les autres, de l'extérieur, comme la peur que Reda m'avait inoculée, et je me rendais compte que les mensonges étaient la seule force qui m'appartenait vraiment, la seule arme à laquelle je pouvais faire confiance, sans condition. Je suis tombé sur cette phrase de Hannah Arendt quand j'étais dans le train pour venir ici et que je n'ai pas répétée à Clara qui se moque de moi quand je lui parle de philosophie ; Arendt écrit : « Autrement dit, la négation délibérée de la réalité – la capacité de mentir – et la possibilité de nier les faits – celle d'agir – sont intimement liées ; elles procèdent l'une et l'autre de la même source : l'imagination. Car il ne va pas de soi que nous soyons capables de *dire* "le soleil brille", à l'instant même où il pleut [...] ; ce fait indique plutôt que, tout en étant parfaitement aptes à appréhender le monde par le sens et le raisonnement, nous ne sommes pas insérés, rattachés à lui, de la façon dont une partie est inséparable du tout. Nous sommes *libres* de changer le monde et d'y introduire de la nouveauté. » Ma guérison est venue de là. Ma guérison est venue de cette possibilité de nier la réalité.

J'avais refusé de voir un psychiatre mais une dernière visite médicale – *la dernière*, on me promettait – était prévue avec le médecin qui allait me prescrire le reste du traitement. Je préférais y aller seul. J'avançais dans le couloir qui conduisait au bureau du deuxième médecin, éclairé par d'immenses baies vitrées, laissant s'engouffrer la lumière du jour, et je pensais : *Compte mille deux cents et ce sera terminé. Mille deux cents. Mille cent quatre-vingt-dix-neuf. Mille cent quatre-vingt-dix-huit.* Les rayons du soleil se déversaient dans le couloir et le saturaient d'une lumière aveuglante, trop claire et trop pure, ironique. Je suis arrivé devant la porte du bureau où j'étais attendu. J'ai collé l'oreille à la porte pour vérifier que mon tour était venu et que je ne risquais pas, en ouvrant, de surprendre l'une des trois personnes rencontrées ou plutôt aperçues dans la salle d'attente parlant ou pleurant avec le médecin. Je n'entendais rien que mon cœur qui battait dans mon oreille.

J'ai frappé. La médecin de l'autre côté de la porte m'a autorisé à entrer. Elle était grande et maigre, les joues creusées, le nez creusé, pincé, les mains qui tremblaient légèrement – la *gueule de l'emploi*. Elle m'a montré une chaise et m'a dit de m'asseoir. Elle parlait d'une voix très basse, comme si parler trop fort avait pu me briser. Je trouvais qu'elle surjouait. Elle ne posait pas beaucoup de questions et je lui en étais reconnaissant. Elle a dit que ce que j'avais vécu était une forme de mort. Moi qui étais au contraire soulagé d'avoir survécu, je ne comprenais pas pourquoi elle me ramenait à la mort.

Clara se lève. Je l'entends marcher. Elle va jusqu'à son évier, elle remplit le verre d'eau. J'entends le débit de l'eau, le bruit de l'eau qui remplit le verre et les déglutitions quand elle boit. Elle pose le verre. Je l'entends revenir à sa place, faire grincer la chaise sur le sol. Je suis toujours derrière la porte.

« Je déteste les »

Ne l'écoute plus.

Le temps s'enlisait. Je suis sorti du bureau de la médecin avec l'ordonnance et j'ai marché le moins vite possible jusqu'à la pharmacie pour perdre du temps, et rentrer chez Frédéric plus tard que si j'avais marché à un rythme plus soutenu, pour ne pas me retrouver face à une journée trop longue. Le pharmacien a lu ce qui était inscrit sur l'ordonnance. Il ne pouvait sûrement pas deviner que le traitement n'était que préventif, rien, je crois, ne l'indiquait. Il m'a jeté un regard apitoyé, plaintif, rabatteur de la mort, et j'aurais préféré un geste de recul plutôt que son regard larmoyant.

J'ai marché jusque chez Frédéric. Il était aux États-Unis pour son travail. Il m'avait laissé un trousseau de clés. J'empruntais les petites rues, les plus longues et les plus sinueuses, et malgré tout je suis arrivé plus tôt que je ne l'aurais voulu. Je ne voyais pas comment j'avais pu arriver si vite en marchant aussi lentement et en faisant autant de détours. Je me suis laissé tomber dans le canapé, et j'ai pensé : *Qu'est-ce qu'a été ma vie avant Reda ?*

J'avais passé une par une toutes les épreuves et les étapes obligatoires, les plus officielles, celles exigées par les procédures, comme les plus officieuses ;

les médecins, les examens cliniques, la police, la police judiciaire, les médecins à moitié psychiatres et leurs conseils, mais aussi, presque comme si ces étapes étaient aussi institutionnalisées et obligatoires que les autres, la peur, les oscillations entre parole et silence, les sursauts d'arrogance pour se protéger.

Ma vie est devenue des heures. J'ai dit à Clara ce matin que je n'avais pas su combler la place brutalement libérée par la fin des rendez-vous, qu'il me paraissait impensable pour ne pas dire impressionnant d'avoir pu pendant les années d'avant remplir le temps d'une journée, du matin ou du moins du midi, à l'heure habituelle à laquelle j'ouvre les yeux, jusqu'au soir. Je vivais mes journées dans le décompte permanent des heures, je pensais *Plus que cinq heures avant la fin de la journée, plus que trois heures*, je pensais *Si je prends une douche et que j'y reste assez longtemps, je gagnerai trente minutes. Si tu ne te brosses pas les dents dans la douche mais après la douche tu perdras trois minutes de plus.* Quand je sortais de la douche et que je voyais que j'y étais resté moins de trente minutes je me mordais la langue pour me punir, je me pinçais l'avant-bras et je réfléchissais encore : *Si tu vas jusqu'à la poste et que tu reviens à une allure raisonnable tu gagneras vingt bonnes minutes. Vingt bonnes minutes, facile* ; je déployais des subterfuges, des stratégies, des ruses dans lesquels j'essayais de me piéger. *Qu'est-ce qu'il y avait avant les convocations ? avant les interrogatoires ? avant l'Hôtel-Dieu ?* Quand les interrogatoires et les examens se sont arrêtés je ne les ai pas regrettés, ils ne m'ont pas manqué, au contraire j'ai été soulagé, la sensation de libération que j'ai ressentie, d'avoir enfin atteint la possibilité du silence, ou du moins de pouvoir me taire quand j'en avais envie, était inégalable.

La journée commençait aux environs de midi quand je me réveillais ; le paradoxe était que je ne savais pas comment j'allais trouver des occupations pour la journée et que la moindre chose à faire, le moindre but qui se présentait, comme ouvrir mon ordinateur pour écrire, ou seulement voir quelqu'un, me dégoûtait – de toute façon je haïssais les autres, comme Clara l'a dit plus tôt. Je pouvais passer deux ou trois jours de suite assis sur le canapé de Frédéric à me demander si je préférais m'ennuyer ou faire quelque chose qui me répugnerait ; je ne faisais donc rien. Je regardais à travers ses rideaux la cour intérieure de son immeuble. Pendant cette crispation le temps ne passait pas plus vite. Je ne me disais pas soudain, après une délibération qui ne menait nulle part, que le temps s'était accéléré, l'immobilité était lente au contraire, le temps s'enlisait.

Une fois éveillé, je restais plusieurs heures sous la couverture, immobile, ou changeant légèrement de position afin de me rendormir. Le soleil qui filtrait à travers les persiennes atteignait à une certaine heure mon visage et le voilait d'une tiédeur qui me rendait encore plus amorphe et plus gémissant.

Je ne m'endormais pas complètement : dans un état de demi-sommeil je rêvais tout en gardant une conscience imprécise du fait que je ne dormais pas. Certaines fois, dans cet espace entre la réalité et le

rêve, j'aurais juré pouvoir infléchir le cours des
événements qui peuplaient mes songes. Je rêvais
mais, à l'intérieur de ce rêve, je savais que je rêvais,
et je pouvais modifier les paysages, faire apparaître
des individus autour de moi et en faire disparaître
d'autres, alors plus rien ne pouvait me faire peur,
sauter d'une falaise, du soixantième étage d'une
tour, ou incendier une forêt pour contempler la
beauté mystérieuse de la destruction : si un malheur
arrivait, je me réveillerais, et je serais à nouveau
seul, dans mon lit.

L'individu que j'étais devenu disposait avec pré-
caution les trois gélules de sa trithérapie sur une
feuille de journal déposée la veille sur le lit, à côté
de lui, et qui restait là toute la nuit. Ainsi, au réveil,
il avalait les médicaments. Il les avait coupés en
petits morceaux le soir précédent de façon à pouvoir
les ingurgiter avec moins de difficulté au matin. Ce
dispositif lui permettait de rester au lit, de ne pas
avoir à se lever et aller jusqu'au tiroir à médicaments
pour prendre le traitement. Il gardait dans le lit une
bouteille d'eau qui restait sur le matelas, près de lui,
toute la nuit, qu'il bordait sous la couverture comme
son enfant et qui de temps en temps roulait jusqu'à
son corps et le réveillait, quand la fraîcheur de l'eau
dans la bouteille effleurait son dos. Il la laissait pour,
le matin, faciliter la descente des épaisses gélules de
Kaletra et de Truvada dans sa gorge, qui même séparées, cassées en deux ou trois, restaient douloureuses
à avaler et griffaient son œsophage. Quand il oubliait
de disposer la bouteille d'eau dans le lit près de lui la

veille il prenait les médicaments sans eau, il ne se levait pas, et pendant des heures il les sentait bloqués quelque part entre son estomac et le fond de sa bouche. Il déglutissait encore et encore pour faire en sorte qu'ils atteignent son estomac mais il n'avalait que de l'air et il rotait, il essayait de les pousser vers le bas de son corps par des contractions de la gorge et de l'œsophage. Le médecin l'avait pourtant prévenu : il devait absolument éviter de prendre son traitement à jeun, du moins sans petit déjeuner ensuite. Et en effet, très souvent, quand il les prenait à jeun, son premier geste quand il était enfin levé était de clopiner vers les toilettes pour vomir, les bras tendus devant lui comme un mauvais comédien qui imiterait un aveugle, encore entre le sommeil et l'éveil, les yeux à peine ouverts, froncés, la bouche pâteuse. L'odeur acide du vomi achevait de le réveiller. Il espérait que le traitement ne s'en trouverait pas perturbé, que les cachets avaient eu le temps de se dissoudre dans son estomac et de se propager dans ses tissus et les vaisseaux sanguins entre le temps où il les avait avalés et celui où il se retrouvait sur les genoux, la tête face aux toilettes, inclinée vers la cuvette, les mains solidement appuyées sur le siège de plastique pour ne pas s'effondrer, par peur de se noyer dans l'eau de la cuvette mêlée à la substance rejetée par son estomac, le corps secoué de spasmes, n'ayant rien à vomir puisque à jeun, le corps qui se contracte, se cambre, se tord comme un linge humide que l'on maltraite pour en extraire les dernières gouttes d'eau. Même quand il ne vomissait pas, la nausée ne le quittait pas du matin au soir. Il n'était pas rare qu'il fasse encore une sieste l'après-midi. Il se réveillait à midi, errait dans l'appartement, puis il se rendormait à quatorze heures, se réveillait vers dix-huit heures et attendait nerveusement le soir pour aller dormir. Il y avait ce traitement qu'il était contraint de suivre, son corps le supportait mal et, du jour où il avait commencé à le prendre, ses nuits s'étaient étirées, passant de huit heures à quinze ou seize heures par jour, et, de surcroît, il pensait : *Après tout ce que tu as vécu.*

Il esquissait des retours à la vie normale. Il les appelait secrètement des *percées*. Il aimait se donner un langage et des expressions codées pour sa communication avec lui-même, qu'il ne partageait pas, dont il ne parlait à personne, qu'il gardait jalousement ; il se murmurait : « Aujourd'hui il va falloir tenter une nouvelle percée. » Et il sortait de l'appartement. Il se forçait à sortir. Il descendait au café et il espionnait les autres autour de lui. Il allait au café avec un vieux sweat à capuche, le plus vieux qu'il possédait, le plus usé, troué. Il ne prenait pas de douche. Il rabattait sa capuche sur ses cheveux sales et gras. Il s'habillait aussi mal que l'autorisait son imagination et il pensait : *Je veux ressembler à mon état, je veux être aussi repoussant que mon histoire.*

Il y avait autre chose.

J'étais devenu raciste. Le racisme, c'est-à-dire ce que j'avais toujours considéré comme l'extérieur radical de ma personne, l'autre absolu de ce que j'étais, me remplissait, soudain, et j'étais les autres. Je devenais ce que j'avais précisément toujours rejeté pour devenir – on ne devient qu'en excluant d'autres possibilités de devenir, d'autres vies possibles et une de ces possibilités revenait du passé.

Une deuxième personne s'était installée dans mon corps ; elle pensait à ma place, elle parlait à ma place, elle tremblait à ma place, elle avait peur pour moi, elle m'imposait sa peur, elle m'imposait de trembler de ses tremblements. Dans le bus ou dans le métro je baissais les yeux si un homme noir ou arabe ou potentiellement kabyle s'approchait de moi – car ce n'étaient que les hommes, et cette caractéristique était une autre absurdité, dans le fantasme raciste qui me colonisait, le danger avait toujours le visage d'un homme. Je baissais les yeux ou tournais la tête et je suppliais en silence *Ne m'agresse pas, ne m'agresse pas.* Je ne baissais pas la tête si l'homme était blond, roux, ou s'il avait une peau très pâle.

J'étais traumatisé deux fois : de la peur et de ma peur.

Ça a duré deux ou trois mois.

Il y avait eu Istanbul. Cyril m'avait suggéré de partir avec lui en Turquie juste après Noël. J'avais hésité. Je ne savais pas si c'était une bonne idée et dans le doute j'avais demandé ce qu'elle en pensait à une infirmière, un jour où j'allais faire mes analyses de sang à l'Hôtel-Dieu. Elle m'avait répondu : « Ça vous fera du bien de vous aérer le cerveau quelques jours. »

J'avais pris l'avion pour la Turquie avec Cyril. Je dormais sur le siège. Je ne dormais pas, je faisais exprès de dormir pour ne pas parler. J'avais tout fait, soigneusement : j'ai fait semblant de me réveiller au contact des roues de l'avion avec le sol, d'étirer les bras, je me suis frotté les yeux, j'ai bâillé, j'inspirais et j'expirais lascivement, comme au réveil. Dès les premiers pas à Istanbul, à l'aéroport, j'avais compté les jours qui me séparaient du départ, j'avais compris que c'était une erreur d'avoir fait ce voyage ; j'avais multiplié le nombre de jours par vingt-quatre pour compter le nombre d'heures que j'allais devoir passer là-bas. J'avais multiplié le tout par soixante sur la calculatrice de mon téléphone pour connaître le nombre de minutes qu'il faudrait rester. J'avais commencé à compter.

Tout me menaçait. Quand Cyril me regardait j'étais sûr qu'il allait découvrir la cause de ma peur, méprisable, honteuse. Je cachais mon visage pour l'empêcher de lire sur mes traits. Et dans la ville tout s'amplifiait ; l'appel à la prière dans les rues était un chant qui prédisait ma mort prochaine et irrémédiable, le soleil avait été inventé seulement pour brûler mon visage, la foule qui se compressait, qui se bousculait sur la grande artère piétonne n'était là que pour m'écraser, me piétiner, le monde était une mise en scène construite contre moi. J'essayais de ne pas montrer à Cyril que je me sentais plus en sécurité quand je marchais à côté de quelqu'un que j'identifiais comme étant un Américain blanc, ou un Allemand blanc. Je marchais plus près d'eux en pensant qu'ils me protégeraient en cas d'attaque, et je me dégoûtais. Mais je le faisais.

Déjà dans le taxi mon esprit paranoïaque avait inventé tout un tas de scénarios. Le chauffeur nous regardait dans son rétroviseur et il nous posait des questions sur notre vie, sur nos occupations, sur la France. Cyril répondait pour moi et à chaque phrase qu'il commençait je me préparais à ce qu'il dérape et à ce qu'il évoque des choses qui auraient contrarié le chauffeur. Je lui lançais des regards haineux et sévères. Il ne tournait pas la tête vers moi, absorbé par le chauffeur de taxi, toujours avide de nouvelles rencontres et de conversations avec des inconnus. J'ai vu le chauffeur de taxi nous emmener, au terme d'un long voyage à travers des routes accidentées et interminables, à la lisière d'une forêt aux arbres brûlés par le soleil. Les arbres n'étaient pas marron ou verdâtres mais jaunes, secs, incandescents, à croire qu'ils se consumaient depuis les racines jusqu'aux extrémités des branches. Le chauffeur nous emmenait là, nous lui avions demandé de nous emmener à l'hôtel et il nous emmenait à la bordure de cette forêt et je savais ce qu'il préparait mais pas Cyril qui continuait à sourire, qui ne voyait rien venir, il ne percevait rien, il continuait de parler au chauffeur et de dire des choses qu'il ne fallait pas dire. Je voulais le prévenir mais dans ma vision je ne le faisais pas pour ne pas accélérer l'inévitable. Puis il comprenait. Mais trop tard. Le chauffeur s'arrêtait. Il nous forçait à descendre, il nous l'ordonnait dans un anglais approximatif, *Go off, go outside the car*, d'abord calmement puis de plus en plus nerveusement, vociférant, invectivant, *Go out*, puis ouvrant les portières pour presser notre sortie, nous poussant d'un coup de pied, sortant enfin une arme semblable à celle de Reda, exactement la même, dans ce rêve je la reconnaissais, j'étais certain de ne pas me tromper. Il nous abattait. Rien. Le chauffeur nous avait déposés en bas de l'hôtel, et je lui avais laissé un gros pourboire.

Seize

Il prononce le premier mot. Il dit : « Je vais devoir y aller, ils m'attendent. » Elle lui répond : « Laisse-moi finir, j'ai presque fini », et de fait depuis quelques secondes ses intonations annoncent la fin de son récit, même si je l'écoute de moins en moins, depuis un moment je perçois qu'elle s'approche de la fin.

Le soir du deuxième entretien avec les deux agents de police, avant que je parte, la policière m'avait dit que quatre hommes m'attendraient en bas de mon immeuble. Ils venaient directement chez moi, ils allaient relever les empreintes pour essayer, à terme, peut-être, de retrouver Reda. J'ai téléphoné à Geoffroy. Didier devait éviter de se déplacer parce qu'il souffrait de problèmes au dos cet hiver-là, il passait trop de temps à écrire sur son ordinateur, Geoffroy avait dit qu'il prendrait un taxi et qu'il me rejoindrait chez moi. Il était à peu près deux heures du matin.

La voiture de police m'a escorté jusqu'à mon appartement. Je voyais sur la vitre de la voiture les lumières bleues du gyrophare. Il y avait deux hommes avec moi. Ils n'avaient pas mis la radio. Nous sommes arrivés place de la République, ils m'ont dit au revoir ; j'ai fait quelques pas dans la nuit, longeant les stores d'acier baissés des cafés, et très vite j'ai aperçu les silhouettes de quatre hommes au pied de mon immeuble, qui portaient de petites valises en aluminium. Ils étaient habillés avec des couleurs sombres, parkas, jeans et baskets ou chaussures pour certains, *Exactement comme dans une série policière*, je pensais. Je me suis approché. J'ai marché jusqu'à eux, ils m'ont dévisagé, ils fronçaient les sourcils, j'ai demandé : « Vous êtes la police judiciaire ? », et un d'entre eux m'a répondu : « Oui, et vous vous êtes M... » Et je lui ai coupé la parole : « Oui, c'est bien moi oui. »

« Il savait pas quoi dire d'autre », dit Clara. Je me suis contenté d'avancer vers la porte de l'immeuble pour composer le code et ils m'ont suivi. Ils ont photographié la porte de l'immeuble avant de monter, ils prenaient des dizaines et des dizaines de clichés, l'appareil crépitait, ils communiquaient entre eux et moi je ne comprenais pas, je ne comprenais pas pourquoi ils avaient besoin de photographier cette porte bleue à la peinture écaillée que Reda n'avait même pas touchée, pourquoi ils photographiaient ma boîte aux lettres que Reda n'avait même pas aperçue, du moins je ne le pense pas, je n'en ai pas le souvenir, il n'aurait pas pu la distinguer des autres car je ne me rappelle pas lui avoir donné mon nom de famille, pourquoi ils s'intéressaient autant à l'ascenseur dans lequel Reda n'était pas monté – mais je ne posais pas de questions pour les retenir moins longtemps. Geoffroy devait être quelque part entre chez lui et chez moi, pas très loin en tout cas. Ils me posaient des questions, d'autres questions : « Il a touché l'interphone ? et la porte ? Il a touché l'interphone avec ses doigts ? et la porte ? » Je disais non, il n'avait rien touché de tout ça, c'était moi qui avais fait le code, qui l'avais invité à entrer, moi qui voulais qu'il entre chez moi ; et ils continuaient de prendre des photographies de mon escalier où il ne s'était rien passé de particulier, ou de l'entrée du local à poubelles que Reda n'avait même pas vu. Geoffroy serait bientôt là.

On a monté l'escalier. Je montais les marches deux à deux, et eux suivaient. Je ne sais plus s'ils parlaient ou non. Ils ont ouvert les mallettes métalliques dans mon appartement, qu'ils ont posées à même le sol. Elles étaient remplies de matériel que je ne savais pas identifier. L'inspecteur, celui qui parlait le plus et s'était présenté comme l'inspecteur, donnait des ordres aux autres. C'est pendant qu'il donnait ces indications à ses collègues que Geoffroy a frappé à la porte. Elle était mal fermée, elle s'est ouverte quand il a frappé et il s'est excusé. Il a passé la tête par l'embrasure et toussoté, l'inspecteur s'est tourné vers lui puis vers moi, vers lui et vers moi encore, et il m'a demandé si je le connaissais. Je pense qu'il a su avant ma réponse que je l'attendais, en voyant mon visage se transformer – ma sœur dit que j'ai un visage qui ne peut rien cacher. L'inspecteur a dit que Geoffroy ne pouvait pas rester, il fallait attendre qu'eux s'en aillent. Il a dit : « On doit pouvoir effectuer notre travail correctement, monsieur, je suis désolé », et il avait l'air de l'être pendant qu'il ajoutait à ce qu'il venait de dire des commentaires sur la taille de mon appartement, trop petit, déjà beaucoup trop petit pour cinq personnes, dans lequel la recherche des empreintes n'était pas facile. Geoffroy allait rester sur le canapé, il ne bougerait pas. Je suppliais l'inspecteur : il ne parlerait pas, il ne ferait pas de bruit. C'est Geoffroy qui a réglé la question en disant qu'il ne voulait pas déranger et qu'il allait attendre sur le palier jusqu'à ce qu'ils aient terminé, ce même palier sur lequel j'avais vu Reda pour la dernière fois la veille. Il est resté assis sur les marches où il était contraint de se lever toutes les soixante-dix ou quatre-vingts secondes environ pour allumer la lumière qui s'éteignait automatiquement. Clara, qui le dit à son mari, ignore qu'il a fini par baisser les bras et qu'il s'est résigné à accepter l'obscurité. Il ne se levait plus, il était assis dans le noir. Je ne l'entendais plus.

Ils m'ont interrogé ; ils voulaient savoir où ils pouvaient relever des empreintes et ils avaient pensé aux draps, mais j'avais tout lavé, et les vêtements aussi, je les avais lavés à haute température. J'avais mis à la poubelle le pantalon et les sous-vêtements, dans une poubelle publique sur le chemin entre mon appartement et celui d'Henri. Je n'avais plus que la chemise et le pull mais ils ne servaient à rien, il n'y avait aucune empreinte dessus, je les avais enlevés moi-même à peine cinq minutes après l'arrivée de Reda, il les avait à peine effleurés.

Il ne restait d'empreintes que sur la bouteille de vodka – mais est-ce que Reda l'avait touchée ? Je ne me souvenais pas, je ne pense pas – et sur le paquet de cigarettes qu'il avait laissé tomber de sa poche en s'habillant. La bouteille se trouvait encore dans une poubelle du local où je l'avais mise le matin. Je n'avais pas non plus lavé le verre dans lequel il avait bu. Je ne sais pas pourquoi d'ailleurs, moi qui avais tout lavé minutieusement pour exorciser sa présence dans mon appartement, j'avais négligé la vaisselle et le verre dans lequel il avait bu et je ne m'en suis rendu compte que quand je suis revenu avec les hommes de la police judiciaire. J'avais tout lavé, j'avais utilisé de l'eau de Javel et tout ce que je trouvais, la puanteur de l'eau de Javel m'avait rassuré mais le verre sur lequel il avait posé ses lèvres était intact, et le plus incroyable, plus incroyable que le verre, était que j'avais laissé son paquet de cigarettes sur le sol – plus un petit dictionnaire qui était tombé de sa poche. J'avais cherché à me débarrasser de toutes les traces, j'avais lavé le sol mais j'avais contourné le paquet de cigarettes et le petit diction-naire, l'un à côté de l'autre, on voyait encore sur le sol le mouvement de la serpillière. J'avais fait un cercle autour du petit dictionnaire et des cigarettes et on voyait très distinctement ce cercle de parquet plus ou moins terne au milieu du parquet propre, fraîchement lavé, et dans ce cercle, en son centre, les deux objets qui n'avaient pas bougé d'un centimètre. *Ça ne t'a pas frappé, tu as lavé les lames des per-siennes une à une, auxquelles il n'a jamais touché, tu as frotté les poignées de portes, tu as vidé de l'eau de Javel dans les toilettes mais tu as laissé le paquet de cigarettes et le dictionnaire. Ils sont là, au milieu de la pièce, et ça ne t'a pas frappé.* L'inspecteur voulait que je lui dise pourquoi j'avais épargné les cigarettes et le dictionnaire sous la chaise mais je n'avais rien à dire. Il m'a proposé de descendre pour rechercher la bouteille de vodka dans le local à poubelles. Geoffroy m'a souri quand je suis passé devant lui. J'ai retrouvé facilement le sac plastique ; il était là, intact, au milieu de la puanteur, enveloppé par les odeurs de fruits pourris et les relents de couches souillées. *Deux quatre six huit.* Je comptais les marches en remontant. J'ai remis le sac aux policiers, ils en ont extrait la bouteille d'alcool, avec lenteur, du bout des doigts. Ils portaient des gants en plastique. Ils ont utilisé une poudre spéciale, qu'ils répartissaient sur la bouteille avec un gros pinceau qui ressemblait à un blaireau pour le rasage. Ils n'ont pas trouvé d'empreintes. Ils en ont relevé quelques-unes mais ils disaient qu'elles étaient illisibles et qu'ils étaient quasiment certains qu'elles ne donneraient aucun résultat, ils disaient que ce n'était peut-être pas celles de Reda. Il ne restait que ce verre invraisemblablement laissé en l'état, et puis le paquet de cigarettes et le petit livre. Ils n'ont pas retrouvé d'empreintes sur le verre non plus, ni sur le paquet de cigarettes, ce qui peut paraître étonnant a dit Geoffroy après, je n'y avais pas pensé, j'étais trop fatigué pour m'étonner de quoi que ce soit. Leurs voix disaient que les empreintes étaient trop abîmées. Au fond de moi je priais pour qu'ils ne trouvent rien. Comme dans le deuxième commissariat je les aidais, je les aidais à trouver des traces, je suis descendu dans le local à poubelles pour y reprendre le sac, je répondais à leurs questions, je coopérais, je n'ai pas dit que le sac n'y était plus, ce qui aurait été simple, et puis soudain je me ressaisissais et j'inventais des oublis – dire que je participais ou que je résistais à ce qui se passait, les deux seraient à la fois vrai et faux, la réalité était ailleurs. Ils sont restés une heure et pendant cette heure j'ai eu autant de désirs contradictoires qu'ils me posaient de questions.

Je n'écoute plus ce que dit Clara.

Ils étaient répartis aux angles de l'appartement, les baskets couinaient sur le sol, collaient du fait de l'accumulation et du mélange des produits ménagers le matin. Ils dispersaient la poudre noire, à plusieurs endroits, sur le paquet de cigarettes, sur les rebords en métal du lit, sur la vaisselle. Ils en versaient un peu avant d'y coller de petits morceaux d'adhésif transparent qui, associés à l'action de la poudre, faisaient apparaître des traces de doigts. La poudre est restée plus d'un mois sans que j'y touche, étant donné qu'à partir du lendemain je suis allé habiter chez Frédéric. À mon retour dans le studio au mois de février il y avait de la poudre partout comme si une tempête de cendres ou de charbon s'était abattue pendant mon absence.

Un autre policier utilisait des cotons-tiges et un produit liquide pour prélever l'ADN sur les parois du verre dans lequel Reda avait bu. « Ça va pas être simple, l'empreinte est pas très nette, ça donne pas grand-chose, ah j'en tiens une belle là je crois, oh oui là je vais pas la rater celle-là… » Pendant la recherche d'empreintes j'attendais sur le lit. Ils en avaient fini avec cette partie du studio, et de temps en temps j'allais voir Geoffroy sur le palier pour m'excuser de le laisser attendre. Il mentait : « Non ça ne me dérange pas du tout, je suis bien ici. » L'inspecteur me demandait de ne pas trop sortir, il disait qu'il avait besoin de moi.

Je retournais sur le lit. Je n'avais même pas de téléphone pour faire semblant de lire des messages.

Ils avaient terminé et ils allaient partir. Il s'est excusé pour la poudre noire sur la vaisselle et sur le reste. Ça n'était rien, ce n'était pas grave, j'allais nettoyer. J'ai eu envie de me rouler dans la poudre noire. Les mallettes ont été refermées ; ils m'ont salué, m'ont serré la main, et ils ont franchi le seuil de la porte. Alors qu'ils partaient et que Geoffroy se levait pour entrer dans l'appartement, ils m'ont demandé si Reda avait pris une douche, peut-être qu'ils pourraient trouver des empreintes dans la cabine de douche et sur la bouteille de savon liquide, et je n'ai pas menti. Je ne comprends pas pourquoi mais je n'ai pas menti, j'ai dit oui et à cause de moi ils ont fait marche arrière. Ils sont allés dans la salle de bains, et ils sont restés encore dix minutes. Le temps s'enlisait. Dix minutes plus tard ils sont partis pour de bon, l'un d'entre eux questionnant, une dernière fois : « Vous êtes sûr qu'il n'y a plus d'empreintes ailleurs ? »

Geoffroy pouvait me rejoindre dans l'appartement. Il s'est assis sur le lit à côté de moi et nous n'avons rien trouvé à nous dire. Ça n'arrivait jamais entre nous, ça n'était jamais arrivé, et même, souvent, nous parlions trop ensemble, quitte à nous couper la parole, nos phrases se superposaient, elles s'entrechoquaient, une phrase s'introduisait dans l'autre par la fissure d'une respiration et la faisait imploser et la conversation changeait brutalement de direction. Mais ce soir-là, à deux dans l'appartement qui puait la Javel nous n'avions rien à nous dire. Il n'y avait aucun bruit qui venait de la cour, il n'y avait rien d'autre que le silence et l'odeur des détergents.

Il a dit : « Tu as envie de dormir j'imagine maintenant ? » Ça aussi il avait compris, mais je n'avais pas osé le lui dire. Je n'avais pas eu le courage de lui dire de rentrer chez lui et de me laisser seul alors qu'il venait de passer une heure, peut-être plus, sur le palier, dans le noir, sur les marches froides. « Mais tu n'as pas peur d'être seul chez toi ? » Non je n'avais pas peur. Je n'arrivais pas à faire une phrase de plus de trois ou quatre mots. Je voulais être seul. J'ai répété encore une fois : « Non, je n'ai pas peur. » Il m'a dit qu'il pouvait rester près de moi et attendre que je m'endorme. Il s'en irait ensuite, sans un bruit, il sortirait lentement, sur la pointe des pieds sans claquer la porte, et il reviendrait le lendemain avec Didier.

Il s'avéra qu'écrire sur le bonheur était impossible, du moins moi, j'en étais incapable, ce qui dans ce cas précis revient à dire que c'était impossible, le bonheur est peut-être trop simple pour qu'on puisse écrire à son propos, écrivis-je, comme je le fais en ce moment précis, je lis sur une feuille écrite autrefois et je recopie ici qu'une vie vécue dans le bonheur est une vie vécue dans le silence. Il s'avéra qu'écrire sur la vie à propos de la vie revenait à méditer sur la vie, que méditer sur la vie revenait à la mettre en doute, or ne met en doute son propre élément nourricier que celui que cet élément étouffe ou qui s'y meut d'une façon dénaturée. Il s'avéra que je n'écrivais pas pour chercher du plaisir, au contraire, il s'avéra qu'en écrivant, je cherchais la souffrance la plus aiguë possible, à la limite de l'insupportable, vraisemblablement parce que la souffrance est la vérité, quant à savoir ce qu'est la vérité, écrivis-je, la réponse est simple : la vérité est ce qui me consume, écrivis-je.

Imre Kertész,
Kaddish pour l'enfant qui ne naîtra pas

RÉALISATION : IGS-CP À L'ISLE-D'ESPAGNAC
IMPRESSION : CPI FRANCE
DÉPÔT LÉGAL : NOVEMBRE 2019. N° 144001-3 (3045971)
IMPRIMÉ EN FRANCE

Éditions Points

DERNIERS TITRES PARUS